FRIEDENTHAL · GOETHE-WEISHEITEN

UNSEREN FREUNDEN UND MITGLIEDERN GEWIDMET

GOETHE-WEISHEITEN

im ernsten
und heiteren Ton

ausgewählt von
Richard Friedenthal

DEUTSCHER BÜCHERBUND
STUTTGART · HAMBURG

INHALT

Zum eignen Leben

Man hat mich immer als einen vom Glück besonders Begünstigten gepriesen; auch will ich mich nicht beklagen und den Gang meines Lebens nicht schelten. Allein im Grunde ist es nichts als Mühe und Arbeit gewesen, und ich kann wohl sagen, daß ich in meinen fünfundsiebzig Jahren keine vier Wochen eigentliches Behagen gehabt. Es war das ewige Wälzen eines Steines, der immer von neuem gehoben sein wollte. Meine »Annalen« werden es deutlich machen, was hiemit gesagt ist. Der Ansprüche an meine Tätigkeit, sowohl von außen als innen, waren zu viele.

Mein eigentliches Glück war mein poetisches Sinnen und Schaffen. Allein wie sehr war dieses durch meine äußere Stellung gestört, beschränkt und gehindert! Hätte ich mich mehr vom öffentlichen und geschäftlichen Wirken und Treiben zurückgehalten und mehr in der Einsamkeit leben können, ich wäre glücklicher gewesen und würde als Dichter weit mehr gemacht haben. So aber sollte sich bald nach meinem »Götz« und »Werther« an mir das Wort eines Weisen bewähren, welcher sagte: Wenn man der Welt etwas zuliebe getan habe, so wisse sie dafür zu sorgen, daß man es nicht zum zweiten Male tue.

Zu Eckermann, 27. 1. 1824

*

Rückblick im dreißigsten Jahre
Stiller Rückblick auf das Leben, auf die Verworrenheit, Betriebsamkeit, Wißbegierde der Jugend, wie sie überall herumschweift, um etwas Befriedigendes zu finden. Wie

ich besonders in Geheimnissen, dunklen imaginativen
Verhältnissen eine Wollust gefunden habe. Wie ich alles
Wissenschaftliche nur halb angegriffen und bald wieder
habe fahren lassen, wie eine Art von demütiger Selbst-
gefälligkeit durch alles geht, was ich damals schrieb. Wie
kurzsinnig in menschlichen und göttlichen Dingen ich
mich umgedreht habe. Wie des Tuns, auch des zweck-
mäßigen Denkens und Dichtens so wenig, wie in zeitver-
derbender Empfindung und Schattenleidenschaft gar viele
Tage vertan, wie wenig mir davon zu Nutz gekommen,
und, da die Hälfte nun des Lebens vorüber ist, wie nun
kein Weg zurückgelegt, sondern vielmehr ich nur da-
stehe wie einer, der sich aus dem Wasser rettet.

Tagebuch, 7. 8. 1779

*

Ich habe recht diese Zeit her zwei meiner Kapitalfehler,
die mich mein ganzes Leben verfolgt und gepeinigt
haben, entdecken können. Einer ist, daß ich nie das Hand-
werk einer Sache, die ich treiben wollte oder sollte, lernen mochte. Daher ist gekommen, daß ich mit so viel
natürlicher Anlage so wenig gemacht und getan habe.
Entweder es war durch die Kraft des Geistes gezwungen,
gelang oder mißlang, wie Glück und Zufalle es wollten;
oder, wenn ich eine Sache gut und mit Überlegung
machen wollte, war ich furchtsam und konnte nicht
fertig werden. Der andere, nah verwandte Fehler ist, daß
ich nie so viel Zeit auf eine Arbeit oder Geschäft wenden mochte, als dazu erfordert wird. Da ich die Glück-
seligkeit genieße, sehr viel in kurzer Zeit denken und
kombinieren zu können, so ist mir eine schrittweise Aus-
führung langweilig und unerträglich. Nun, dächt ich,
wäre Zeit und Stunde da, sich zu korrigieren. Ich bin

im Land der Künste: laßt uns das Fach durcharbeiten, damit wir für unser übriges Leben Ruh und Freude haben und an was anders gehen können.

Italienische Reise, 20. 7. 1787

In meines Vaters Hause, sage ich mir, sind viele Appartementer, und der dunkle Keller unten gehört so gut zum Palast als der Altan auf dem Dache.

An F. Jacobi, 7. 3. 1808

Manchmal komme ich mir vor wie eine magische Auster, über die seltsame Wellen weggehen.

An Ch. v. Stein, 8. 3. 1808

Wenn dir's im Kopf und Herzen schwirrt,
Was willst du Bess'res haben!
Wer nicht mehr liebt und nicht mehr irrt,
Der lasse sich begraben.   *1814/15*

Grabschrift
Als Knabe verschlossen und trutzig,
Als Jüngling anmaßlich und stutzig,
Als Mann zu Taten willig,
Als Greis leichtsinnig und grillig! —
Auf deinem Grabstein wird man lesen:
Das ist fürwahr ein Mensch gewesen.   *1814/15*

Die Hindus der Wüste geloben, keine Fische zu essen.

Maximen

∗

Wenn die Affen es dahin bringen könnten, Langeweile zu haben, so könnten sie Menschen werden. *Maximen*

∗

Man reist ja nicht, um anzukommen, sondern um zu reisen. *Zu Caroline Herder, 1788*

∗

Goethe war so entfernt von aller Ostentation, daß er im Gegenteil zu wenig auf seine Sachen gab und sie ihn nach einiger Zeit schon nicht mehr interessierten, ja ihm sogar aus dem Gedächtnis kamen und er, zufällig sie wiederlesend, verwundert war, daß er imstande gewesen, so etwas schreiben zu können. Denn es waren nach seinem Vergleich ebenso viele Häutungen seines Wesens, abgelegte Schlangenhäute, »Stücke seiner ehemaligen Garderobe« (nach mündlicher Äußerung), und insofern ihm mehr von historischen Interesse als von lebendig gegenwärtigem. Denn ihm ward, was nur wenigen zuteil wird: sich selbst schon historisch anzusehen. *Zu Riemer*

∗

Ein sehr geistvoller Beobachter, der Franzose Ampère, hat den abwechselnden Gang meiner irdischen Laufbahn und meiner Seelenzustände im tiefsten studiert und sogar

die Fähigkeit gehabt, das zu sehen, was ich nicht ausgesprochen und was, sozusagen nur zwischen den Zeilen zu lesen war. Wie richtig hat er bemerkt, daß ich in den ersten zehn Jahren meines weimarischen Dienst- und Hoflebens so gut wie gar nichts gemacht, daß die Verzweiflung mich nach Italien getrieben, und daß ich dort mit neuer Lust zum Schaffen die Geschichte des Tasso ergriffen, um mich in der Behandlung dieses angemessenen Stoffes von demjenigen freizumachen, was mir noch aus meinen weimarischen Eindrücken und Erinnerungen Schmerzliches und Lästiges anklebte. Sehr treffend nennt er daher auch den Tasso einen gesteigerten Werther.
Sodann über den Faust äußert er sich nicht weniger geistreich, indem er nicht bloß das düstere und unbefriedigte Streben der Hauptfigur, sondern auch den Hohn und die herbe Ironie des Mephistopheles als Teile meines eigenen Wesens bezeichnet.   *Zu Eckermann, 3. 5. 1827*

»Sprich, wie du dich immer und immer erneust?«
Kannst's auch, wenn du immer am Großen dich freust.
Das Große bleibt frisch, erwärmend, belebend;
Im Kleinlichen fröstelt der Kleinliche bebend.

1823

»Denkst du nicht auch an ein Testament?«
Keineswegs! — Wie man vom Leben sich trennt,
So muß man sich trennen von Jungen und Alten,
Die werdens alle ganz anders halten.

Zahme Xenien

Ich habe niemals einen präsumtuoseren Menschen gekannt als mich selbst, und daß ich das sage, zeugt schon, daß wahr ist, was ich sage. Niemals glaubte ich, daß etwas zu erreichen wäre, immer dachte ich, ich hätte es schon. Man hätte mir eine Krone aufsetzen können, und ich hätte gedacht, das verstehe sich von selbst. Und doch war ich gerade dadurch nur ein Mensch wie andere. Aber daß ich das über meine Kräfte Ergriffene durchzuarbeiten, das über mein Verdienst Erhaltene zu verdienen suchte, dadurch unterschied ich mich bloß von einem Wahn-sinnigen.

Erst war ich den Menschen unbequem durch meinen Irr-tum, dann durch meinen Ernst. Ich mochte mich stellen, wie ich wollte, so war ich allein.

Einzelheiten zu Dichtung und Wahrheit

*

Sei du im Leben wie im Wissen
Durchaus der reinen Fahrt beflissen!
Wenn Sturm und Strömung stoßen, zerrn,
Sie werden doch nicht deine Herrn;
Kompaß und Pol-Stern, Zeitenmesser
Und Sonn' und Mond verstehst du besser,
Vollendest so nach deiner Art
Mit stillen Freuden deine Fahrt.
Besonders, wenn dich's nicht verdrießt,
Wo sich der Weg im Kreise schließt:
Der Weltumsegler freudig trifft
Den Hafen, wo er ausgeschifft.   *Zahme Xenien*

Alter

Man meint immer, man müsse alt werden, um gescheit zu sein; im Grunde aber hat man bei zunehmenden Jahren zu tun, sich so klug zu erhalten, als man gewesen ist. Der Mensch wird in seinen verschiedenen Lebensstufen wohl ein anderer, aber ich kann nicht sagen, daß er ein besserer werde, und er kann in gewissen Dingen so gut in seinem zwanzigsten Jahre recht haben, als in seinem sechzigsten.

Man sieht freilich die Welt anders in der Ebne, anders auf den Höhen des Vorgebirgs, und anders auf den Gletschern des Urgebirgs. Man sieht auf dem einen Standpunkt ein Stück Welt mehr als auf dem andern; aber das ist auch alles, und man kann nicht sagen, daß man auf dem einen mehr recht hätte, als auf dem andern. Wenn daher ein Schriftsteller aus verschiedenen Stufen seines Lebens Denkmale zurückläßt, so kommt es vorzüglich darauf an, daß er ein angeborenes Fundament und Wohlwollen besitze, daß er auf jeder Stufe rein gesehen und empfunden, und daß er ohne Nebenzwecke grade und treu gesagt habe, wie er gedacht. Dann wird sein Geschriebenes, wenn es auf der Stufe recht war, wo es gestanden, auch ferner recht bleiben, der Autor mag sich auch später entwickeln und verändern, wie er wolle.

Zu Eckermann, 17. 2. 1831

✳

Der Mensch hat verschiedene Stufen, die er durchlaufen muß, und jede Stufe führt ihre besonderen Tugenden und Fehler mit sich, die in der Epoche, wo sie kommen, durchaus als naturgemäß zu betrachten und gewisser-

maßen recht sind. Auf der folgenden Stufe ist er wieder
ein anderer, von den früheren Tugenden und Fehlern ist
keine Spur mehr, aber andere Arten und Unarten sind
an deren Stelle getreten. Und so geht es fort, bis zu der
letzten Verwandlung, von der wir noch nicht wissen, wie
wir sein werden.   *Zu Eckermann, 6. 3. 1831*

✳

Nichts vom Vergänglichen,
Wie's auch geschah!
Uns zu verewigen,
Sind wir ja da.   *Zahme Xenien*

✳

Lange leben heißt gar vieles überleben, geliebte, gehaßte,
gleichgültige Menschen, Königreiche, Hauptstädte, ja
Wälder und Bäume, die wir jugendlich gesät und ge-
pflanzt. Wir überleben uns selbst und erkennen durchaus
noch dankbar, wenn uns auch nur einige Gaben des
Leibes und Geistes übrig bleiben. Alles dieses Vorüber-
gehende lassen wir uns gefallen; bleibt uns nur das Ewige
jeden Augenblick gegenwärtig, so leiden wir nicht an der
vergänglichen Zeit.
     An Auguste Gräfin Bernstorff, 17. 4. 1823

✳

Alter und Jugend
Man muß oft etwas Tolles unternehmen, um nur wieder
eine Zeitlang leben zu können. In meiner Jugend habe
ich es nicht besser gemacht, und doch bin ich noch ziem-
lich mit heiler Haut davongekommen.
     Zu Eckermann, 7. 12. 1823

Ein alter Mann ist stets ein König Lear!
Was Hand in Hand mitwirkte, stritt,
Ist längst vorbeigegangen;
Was mit und an dir liebte, litt,
Hat sich wo anders angehangen;
Die Jugend ist um ihretwillen hier,
Es wäre törig zu verlangen:
Komm, ältle du mit mir.

Der Kanzler Müller erzählt: »Wir kamen auf Reise-
projekte und industrielle Unternehmungen zu sprechen,
die er alle verwarf. Auf meine Bemerkung, daß er über
diese Gegenstände sonst ganz anders gedacht, sagte er:
Ei, bin ich darum achtzig Jahre alt geworden, daß ich
immer dasselbe denken soll? Ich strebe vielmehr, täglich
etwas anderes, Neues zu denken, um nicht langweilig
zu werden. Man muß sich immerfort verändern, erneuern,
verjüngen, um nicht zu verstocken.«

Müller, 24. 4. 1830

»Was hast du denn? Unruhig bist du nicht
Und auch nicht ruhig, machst mir ein Gesicht
Als schwanktest du, magnetischen Schlaf zu ahnen.«
Der Alte schlummert wie das Kind,
Und wie wir eben Menschen sind,
Wir schlafen sämtlich auf Vulkanen.

Zahme Xenien III

Glaubensfragen

Wir sind naturforschend Pantheisten, dichtend Poly-
theisten, sittlich Monotheisten.   *Nachlaß*

Wer Wissenschaft und Kunst besitzt,
Hat auch Religion;
Wer jene beiden nicht besitzt,
Der habe Religion.

Ihr Gläubigen! rühmt nur nicht euren Glauben
Als einzigen; wir glauben auch wie ihr.
Der Forscher läßt sich keineswegs berauben
Des Erbteils, aller Welt gegönnt — und mir.

Niemand soll ins Kloster gehn,
Als er sei denn wohlversehn
Mit gehörigem Sünden-Vorrat,
Damit es ihm so früh als spat
Nicht mög an Vergnügen fehlen,
Sich mit Reue durchzuquälen.   *Zahme Xenien*

Unsere Zustände schreiben wir bald Gott, bald dem Teufel zu und fehlen ein- wie das anderemal: in uns selbst liegt das Rätsel, die wir Ausgeburt zweier Welten sind. Mit der Farbe gehts ebenso: bald sucht man sie im Lichte, bald draußen im Weltall und kann sie gerade da nicht finden, wo sie zu Hause ist.

Zur Naturwissenschaft

Frömmigkeit ist kein Zweck, sondern ein Mittel, um durch die reinste Gemütsruhe zur höchsten Kultur zu gelangen.
Deswegen läßt sich bemerken, daß diejenigen, welche Frömmigkeit als Zweck und Ziel aufstecken, meist Heuchler werden.   *Wanderjahre*

»Ich glaube einen Gott!« dies ist ein schönes löbliches Wort; aber Gott anerkennen wo und wie er sich offenbare, das ist eigentlich die Seligkeit auf Erden.

Nachlaß

Gott, wenn wir hoch stehen, ist alles; stehen wir niedrig, so ist er ein Supplement unserer Armseligkeit.

Nachlaß

Wer die Natur als göttliches Organ leugnen will, der leugne nur gleich alle Offenbarung.   *Nachlaß*

Ich bedauere die Menschen, welche von der Vergänglich-
keit der Dinge viel Wesens machen und sich in Betrachtung irdischer Nichtigkeiten verlieren. Sind wir ja eben
deshalb da, um das Vergängliche unvergänglich zu
machen; das kann ja nur dadurch geschehen, wenn man
beides zu schätzen weiß.　　　　　*Kunst und Altertum*

Was wär' ein Gott, der nur von außen stieße,
Im Kreis das All am Finger laufen ließe!
Ihm ziemt's, die Welt im Innern zu bewegen,
Natur in sich, Sich in Natur zu hegen,
So daß, was in Ihm lebt und webt und ist,
Nie seine Kraft, nie seinen Geist vermißt.

Im Innern ist ein Universum auch;
Daher der Völker löblicher Gebrauch,
Daß jeglicher das Beste, was er kennt,
Er Gott, ja seinen Gott benennt,
Ihm Himmel und Erden übergibt,
Ihn fürchtet, und womöglich liebt.
　　　　　Gott, Gemüt und Welt, 1815

Ich habe nichts gegen die Frömmigkeit,
Sie ist zugleich Bequemlichkeit;
Wer ohne Frömmigkeit will leben,
Muß großer Mühe sich ergeben:
Auf seine eigne Hand zu wandern,
Sich selbst genügen und den andern
Und freilich auch dabei vertraun:
Gott werde auf ihn niederschaun.　　*Zahme Xenien*

Über den Glauben an persönliche Fortdauer: Goethe sprach sich bestimmt aus. Es sei einem denkenden Wesen durchaus unmöglich, sich ein Nichtsein, ein Aufhören des Denkens und Lebens zu denken; insofern trage jeder den Beweis der Unsterblichkeit in sich selbst und ganz unwillkürlich. Aber sobald man objektiv aus sich heraustreten wolle, sobald man dogmatisch eine persönliche Fortdauer nachweisen, begreifen wolle, jene innere Wahrnehmung philisterhaft ausstaffiere, so verliere man sich in Widersprüche. Der Mensch sei aber demungeachtet stets getrieben, das Unmögliche vereinigen zu wollen. Fast alle Gesetze seien Synthesen des Unmöglichen, z. B. das Institut der Ehe. Und doch sei es gut, daß dem so sei, es werde dadurch das Möglichste erstrebt, daß man das Unmögliche postuliere. *Zu Müller, 19. 10. 1823*

Kein organisches Wesen ist ganz der Idee, die zugrunde liegt, entsprechend; hinter jedem steckt die höhere Idee: Das ist mein Gott, das ist der Gott, den wir alle ewig suchen und zu erschauen hoffen, aber wir können ihn nur ahnen, nicht schauen. *Zu Müller, 7. 5. 1830*

Wenn man das Treiben und Tun der Menschen seit Jahrtausenden überblickt, so lassen sich einige allgemeine Formeln erkennen, die je und immer eine Zauberkraft über ganze Nationen, wie über die Einzelnen ausgeübt haben, und diese Formeln, ewig wiederkehrend, ewig unter tausend bunten Verbrämungen dieselben, sind die

geheimnisvolle Mitgabe einer höheren Macht ins Leben.
Wohl übersetzt sich jeder diese Formeln in die ihm eigen-
tümliche Sprache, paßt sie auf mannigfache Weise seinen
beengten individuellen Zuständen an und mischt dadurch
oft so viel Unlauteres darunter, daß sie kaum mehr in
ihrer ursprünglichen Bedeutung zu erkennen sind. Aber
diese letztere taucht doch immer wieder unversehens auf,
bald in diesem, bald in jenem Volke, und der aufmerk-
same Forscher setzt sich aus solchen Formeln eine Art
Alphabet des Weltgeistes zusammen.

Zu Müller, 29. 4. 1818

❋

Die Welt soll nicht so rasch zum Ziele, als wir denken
und wünschen. Immer sind die retardierenden Dämonen
da, die überall dazwischen- und überall entgegentreten,
so daß es zwar im ganzen vorwärts geht, aber sehr lang-
sam ... Laß die Menschheit dauern so lange sie will, es
wird ihr nie an Hindernissen fehlen, die ihr zu schaffen
machen, und nie an allerlei Not, damit sie ihre Kräfte
entwickele. Klüger und einsichtiger wird sie werden, aber
besser, glücklicher und tatkräftiger nicht, oder doch nur
Epochen. Ich sehe die Zeit kommen, wo Gott keine
Freude mehr an ihr hat, und er abermals alles zusammen-
schlagen muß zu einer verjüngten Schöpfung. Ich bin gewiß, es ist alles danach angelegt, und es steht in der
fernen Zukunft schon Zeit und Stunde fest, wann diese
Verjüngungsepoche eintritt. Aber bis dahin hat es sicher
noch gute Weile, und wir können noch Jahrtausende und
aber Jahrtausende auch auf dieser lieben alten Fläche,
wie sie ist, allerlei Spaß haben.

Zu Eckermann, 23. 10. 1828

Der Mensch soll an Unsterblichkeit glauben, er hat dazu ein Recht, es ist seiner Natur gemäß, und er darf auf religiöse Zusagen bauen; wenn aber der Philosoph den Beweis für die Unsterblichkeit unserer Seele aus einer Legende hernehmen will, so ist das sehr schwach und will nicht viel heißen. Die Überzeugung unserer Fortdauer entspringt mir aus dem Begriff der Tätigkeit; denn wenn ich bis an mein Ende rastlos wirke, so ist die Natur verpflichtet, mir eine andere Form des Daseins anzuweisen, wenn die jetzige meinen Geist nicht ferner auszuhalten vermag. *Zu Eckermann, 4. 2. 1829*

Zum eignen Schaffen

Die Gelegenheiten sind die wahren Musen, sie rütteln uns auf aus Träumereien, und man muß ihnen durchaus danken.
Zu Müller, 1821

*

Meine Dichterglut war sehr gering,
Solang ich dem Guten entgegenging;
Dagegen brannte sie lichterloh,
Wenn ich vor drohendem Übel floh.
Sprichwörtlich

*

Das Unzulängliche ist produktiv. Ich schrieb meine Iphigenie aus einem Studium der griechischen Sachen, das aber unzulänglich war. Wenn es erschöpfend gewesen wäre, so wäre das Stück ungeschrieben geblieben.
Zu Riemer, 20. 7. 1811

*

Den Vorteil hat der Dichter:
Wie die Gemeinde prüft und probt,
So ist sie auch sein Richter;
Da wird er nun gescholten, gelobt,
Und bleibt immer ein Dichter.
Zahme Xenien

Merkwürdige Reflexion Goethes über sich selbst: daß
er das Ideelle unter einer weiblichen Form oder unter
der Form des Weibes konzipiert. Wie ein Mann sei, das
wisse er ja nicht. Den Mann zu schildern sei ihm nur
biographisch möglich, es müsse etwas Historisches zum
Grunde liegen.   *Zu Riemer, 24. 11. 1809*

Da loben sie den Faust,
Und was noch sunsten
In meinen Schriften braust,
Zu ihren Gunsten;
Das alte Mick und Mack,
Das freut sie sehr;
Es meint das Lumpenpack,
Man wär's nicht mehr!   *um 1815*

»Die Feinde, sie bedrohen dich,
Das mehrt von Tag zu Tage sich;
Wie dir doch gar nicht graut!«
Das seh ich alles unbewegt,
Sie zerren an der Schlangenhaut,
Die jüngst ich abgelegt.
Und ist die nächste reif genug,
Ab streif ich die sogleich
Und wandle neubelebt und jung
Im frischen Götterreich.   *Zahme Xenien*

Wie er früher seine Person versteckt unter anderem Namen, so läßt er auch seine Gedichte zuweilen rätselhaft, nach seiner Maxime: »ein Gedicht müsse etwas Rätselhaftes haben«, und vermeidet, Freunden sogar die Aufklärung zu geben, ohne welche das Gedicht selbst nur halbverständlich und daher nur halbgenossen bleibt. Damit wollte er den Scharfsinn und die Erfindungskraft der andern aufregen und ihnen die Freude bereiten, durch selbstgefundenes Verständnis des Ganzen sich selbst produktiv zu erscheinen. *Riemer*

Er wollte erfahren, was er als Unbekannter für einen Eindruck mache; was sein Gedicht, wenn es als ein fremdes, nicht als das seinige, betrachtet würde, für Urteile hervorlockte; was ein im allgemeinen ohne näheren Bezug ausgesprochenes Gedicht in dem Hörer oder Leser für ein Verständnis finden, was dieser sich dabei denken und davon würde aneignen können.
Daher wurden die bei dem konkretesten Anlaß entstandenen Gedichte und Gedichtchen, als wahre und eigentliche Gelegenheitsgedichte, durch Verbergung jeder Veranlassung oder der Personen, auf die sie sich beziehen, so ins Allgemeine gespielt, daß sie ein jeder für seine Erfahrung nutzen und darauf anwenden könne. *ebenda*

Nun mache ich aber die Bemerkung, daß ich weder Abends, noch in der Nacht jemals gearbeitet habe, sondern bloß des Morgens, wo ich den Rahm des Tages

abschöpfte, da denn die übrige Zeit zu Käse gerin-
nen mochte.   *An S. Boisserée, 11. 10. 1820*

*

Die Frage, ob einer seine eigne Biographie schreiben
dürfe, ist höchst ungeschickt. Ich halte den, der es
tut, für den höflichsten aller Menschen.   *Nachlaß*

*

Ich habe die Erfahrung wieder erneuert, daß ich nur
in einer absoluten Einsamkeit arbeiten kann und daß
nicht etwa das Gespräch, sondern sogar schon die häus-
liche Gegenwart geliebter geschätzter Personen meine
poetischen Quellen gänzlich ableitet.   *An Schiller*

*

So viel Philosophie, als ich bis zu meinem seligen Ende
brauche, habe ich noch allenfalls im Vorrat, eigentlich
brauche ich gar keine. — Viel ward über die Methode
des Zeitgebrauchs gesprochen: Sonst hatte ich einen gewissen Zyklus von fünf oder sieben Tagen, worin ich
die Beschäftigungen verteilte; da konnte ich unglaublich
viel leisten.   *Zu Müller, 16. 7. 1827*

*

Freilich erfahren wir erst im Alter, was uns in der Jugend begegnete. Wir lernen und begreifen ein für alle-

mal nichts! Alles, was auf uns wirkt, ist nur Anregung, und Gott sei Dank! wenn sich nur etwas regt und klingt. Diese Tage hab ich wieder Linné gelesen und bin über diesen außerordentlichen Mann erschrocken. Ich habe unendlich viel von ihm gelernt, nur nicht Botanik.

Außer Shakespeare und Spinoza wüßt ich nicht, daß irgendein Abgeschiedener eine solche Wirkung auf mich getan.

Wundersam ist es, aber ganz natürlich: die Menschen spekulieren auf unsre letzte Zeit wie auf sibyllinische Blätter, da sie die vorhergehende kalt und freventlich auflodern ließen ...

Wozu aber der Aufwand von Tagen und Stunden persönlich gegenwärtiger Wirkung? Ich will doch lieber in meiner stillen und unangefochtenen Wohnung so viel diktieren und kopieren und drucken und liegen lassen, damit es hinausgehe oder hinnen bleibe; damit jeder, wie Du ganz richtig fühlst, verschweigen könne, woher er's hat, und denn doch das ganze Menschenwesen ein bißchen aufgestutzt werde.   *An Zelter, 7. 11. 1816*

*

Man spricht immer von Originalität, allein was will das sagen! Sowie wir geboren werden, fängt die Welt an, auf uns zu wirken, und das geht so fort bis ans Ende. Und überhaupt, was können wir denn unser Eigenes nennen, als die Energie, die Kraft, das Wollen! Wenn ich sagen könnte, was ich alles großen Vorgängern und Mitlebenden schuldig geworden bin, so bliebe nicht viel übrig.   *Zu Eckermann, 12. 5. 1825*

Teilen kann ich nicht das Leben,
Nicht das Innen, noch das Außen,
Allen muß das Ganze geben,
Um mit euch und mir zu hausen.
Immer hab ich nur geschrieben,
Wie ich fühle, wie ich's meine,
Und so spalt' ich mich, ihr Lieben,
Und bin immerfort der Eine.

Zahme Xenien

Bildung

Wir bilden uns nicht, wenn wir das, was in uns liegt, nur mit Leichtigkeit und Bequemlichkeit in Bewegung setzen. Jeder Künstler, wie jeder Mensch, ist nur ein einzelnes Wesen und wird nur immer auf eine Seite hängen. Deswegen hat der Mensch auch das, was seiner Natur entgegengesetzt ist, theoretisch und praktisch, insofern es ihm möglich ist, in sich aufzunehmen. Der Leichte sehe nach Ernst und Strenge sich um, der Strenge habe ein leichtes und bequemes Wesen vor Augen, der Starke die Lieblichkeit, der Liebliche die Stärke, und jeder wird seine eigene Natur nur desto mehr ausbilden, je mehr er sich von ihr zu entfernen scheint. Jede Kunst verlangt den ganzen Menschen, der höchstmögliche Grad derselben die ganze Menschheit.

Einleitung zur Zeitschrift »Propyläen«

*

Sich mitzuteilen ist Natur; Mitgeteiltes aufzunehmen, wie es gegeben wird, ist Bildung.

Wahlverwandtschaften

*

Der zur Vernunft geborene Mensch bedarf noch großer Bildung, sie mag sich ihm nun durch Sorgfalt der Eltern und Erzieher, durch friedliches Beispiel oder durch strenge Erfahrung nach und nach offenbaren. Ebenso wird zwar der a n g e h e n d e Künstler, aber nicht der v o l l e n d e t e geboren; sein Auge komme frisch auf die Welt, er habe glücklichen Blick für Gestalt, Proportion, Bewegung: aber für höhere Komposition, für Haltung, Licht, Schatten, Farben kann ihm die natürliche Anlage fehlen, ohne daß er es gewahr wird.

Ist er nun nicht geneigt, von höher ausgebildeten Künstlern der Vor- und Mitzeit das zu lernen, was ihm fehlt, um eigentlicher Künstler zu sein, so wird er im falschen Begriff von bewahrter Originalität hinter sich selbst zurückbleiben, denn nicht allein das, was mit uns geboren ist, sondern auch das, was wir erwerben können, gehört uns an, und wir sind es.   *Wanderjahre*

Die Menschen halten sich mit ihren Neigungen ans Lebendige. Die Jugend bildet sich wieder an der Jugend.
                                   Zu Riemer, 18. 9. 1810

Alles Vortreffliche beschränkt uns für einen Augenblick, indem wir uns demselben nicht gewachsen fühlen; nur insofern wir es nachher in unsere Kultur aufnehmen, es unsern Geist- und Gemütskräften aneignen, wird es uns lieb und wert.   *Kunst und Alterthum*

*

    Wie die Pflanzen zu wachsen belieben,
    Darin wird jeder Gärtner sich üben;
    Wo aber des Menschen Wachstum ruht,
    Dazu jeder selbst das Beste tut.

    Willst du dir aber das Beste tun,
    So bleib nicht auf dir selber ruhn,
    Sondern folg eines Meisters Sinn;
    Mit ihm zu irren ist dir Gewinn.
                                   Sprichwörtlich

Kein Wort steht still, sondern es rückt immer durch den
Gebrauch von seinem anfänglichen Platz, eher hinab
als hinauf, eher ins Schlechtere als ins Bessere, ins Engere
als ins Weitere, und an der Wandelbarkeit des Wortes
läßt sich die Wandelbarkeit der Begriffe erkennen.

Nachlaß

Nicht die Sprache an und für sich ist richtig, tüchtig,
zierlich, sondern der Geist ist es, der sich darin verkörpert,
und so kommt es nicht auf einen jeden an, ob er seinen
Rechnungen, Reden oder Gedichten die wünschenswerten
Eigenschaften verleihen will: es ist die Frage, ob ihm
die Natur hiezu die geistigen und sittlichen Eigenschaften verliehen hat. Die geistigen: das Vermögen der
An- und Durchschauung, die sittlichen: daß er die bösen
Dämonen ablehne, die ihn hindern könnten, der Wahrheit die Ehre zu geben. *Wanderjahre*

Ich verfluche allen negativen Purismus, daß man ein
Wort nicht brauchen soll, in welchem eine andere Sprache vieles oder Zarteres gefaßt hat. *Nachlaß*

Die Gewalt einer Sprache ist nicht, daß sie das Fremde
abweist, sondern daß sie es verschlingt. *ebenda*

Über die wichtigsten Angelegenheiten des Gefühls wie
der Vernunft, der Erfahrung wie des Nachdenkens soll
man nur mündlich verhandeln. Das ausgesprochene Wort
ist sogleich tot, wenn es nicht durch ein folgendes, dem
Hörer gemäßes am Leben erhalten wird. Man merke nur
auf ein geselliges Gespräch! Gelangt das Wort nicht
schon tot zu dem Hörer, so ermordet er es alsogleich
durch Widerspruch, Bestimmen, Bedingen, Ablenken, Ab-
springen, und wie die tausendfältigen Unarten des Un-
terhaltens auch heißen mögen. Mit dem Geschriebenen ist
es noch schlimmer. Niemand mag lesen als das, woran
er schon einigermaßen gewöhnt ist; das Bekannte, das
Gewohnte verlangt er unter veränderter Form. Doch hat
das Geschriebene den Vorteil, daß es dauert und die
Zeit abwarten kann, wo ihm zu wirken gegönnt ist.

Nachlaß

Der Sprache liegt zwar die Verstandes- und Vernunfts-
fähigkeit des Menschen zugrunde, aber sie setzt bei dem,
der sich ihrer bedient, nicht eben reinen Verstand, aus-
gebildete Vernunft, redlichen Willen voraus. Sie ist ein
Werkzeug, zweckmäßig und willkürlich zu gebrauchen,
man kann sie ebenso gut zu einer spitzfindig-verwirren-
den Dialektik wie zu einer verworren-verdüsternden
Mystik verwenden, man mißbraucht sie bequem zu hoh-
len und nichtigen prosaischen und poetischen Phrasen,
ja man versucht, prosodisch untadelhafte und doch non-
sensikalische Verse zu machen.

Nachlaß

Naturbetrachtung

Künstlers Abendlied

Ach, daß die innre Schöpfungskraft
Durch meinen Sinn erschölle!
Daß eine Bildung voller Saft
Aus meinen Fingern quölle!

Ich zittre nur, ich stottre nur,
Und kann es doch nicht lassen;
Ich fühl, ich kenne dich, Natur,
Und so muß ich dich fassen.

Bedenk ich dann, wie manches Jahr
Sich schon mein Sinn erschließet,
Wie er, wo dürre Heide war,
Nun Freudenquell genießet;

Wie sehn ich mich, Natur, nach dir,
Dich treu und lieb zu fühlen!
Ein lustger Springbrunn wirst du mir
Aus tausend Röhren spielen.

Wirst alle meine Kräfte mir
In meinem Sinn erheitern
Und dieses enge Dasein hier
Zur Ewigkeit erweitern.   *1774*

✳

Müsset im Naturbetrachten
Immer eins wie alles achten;
Nichts ist drinnen, nichts ist draußen;

Denn was innen, das ist außen.
So ergreifet ohne Säumnis
Heilig öffentlich Geheimnis.

Epirrhema, 1818

✳

Wir können bei Betrachtung des Weltgebäudes, in seiner weitesten Ausdehnung, in seiner letzten Teilbarkeit, uns der Vorstellung nicht erwehren, daß dem Ganzen eine Idee zum Grunde liegt, wonach Gott in der Natur, die Natur in Gott, von Ewigkeit zu Ewigkeit schaffen und wirken möge. Anschauung, Betrachtung, Nachdenken führen uns näher an jene Geheimnisse. Wir erdreisten uns und wagen auch Ideen; wir bescheiden uns und bilden Begriffe, die analog jenen Uranfängen sein möchten.

Hier treffen wir nun auf die eigene Schwierigkeit, die nicht immer klar ins Bewußtsein tritt, daß zwischen Idee und Erfahrung eine gewisse Kluft befestigt scheint, die zu überschreiten unsere ganze Kraft sich vergeblich bemüht. Demungeachtet bleibt unser ewiges Bestreben, diesen Hiatus mit Vernunft, Verstand, Einbildungskraft, Glauben, Gefühl, Wahn und, wenn wir sonst nichts vermögen, mit Albernheit zu überwinden.

Endlich finden wir, bei redlich fortgesetzten Bemühungen, daß der Philosoph wohl möchte recht haben, welcher behauptet, daß keine Idee der Erfahrung völlig kongruiere, aber wohl zugibt, daß Idee und Erfahrung analog sein können, ja müssen.

Die Schwierigkeit, Idee und Erfahrung miteinander zu verbinden, erscheint sehr hinderlich bei aller Naturforschung: die Idee ist unabhängig von Raum und Zeit, die Naturforschung ist in Raum und Zeit beschränkt;

daher ist in der Idee Simultanes und Sukzessives innigst verbunden, auf dem Standpunkt der Erfahrung hingegen immer getrennt, und eine Naturwirkung, die wir der Idee gemäß als simultan und sukzessiv zugleich denken sollen, scheint uns in eine Art Wahnsinn zu versetzen. Der Verstand kann nicht vereinigt denken, was die Sinnlichkeit ihm gesondert überlieferte, und so bleibt der Widerstreit zwischen Aufgefaßtem und Ideeiertem immerfort unaufgelöst.

Deshalb wir uns denn billig zu einiger Befriedigung in die Sphäre der Dichtkunst flüchten und ein altes Liedchen mit einiger Abwechslung erneuern:

> So schauet mit bescheidnem Blick
> Der ewigen Weberin Meisterstück,
> Wie ein Tritt tausend Fäden regt,
> Die Schifflein hinüber, herüber schießen,
> Die Fäden sich begegnend fließen,
> Ein Schlag tausend Verbindungen schlägt.
> Das hat sie nicht zusammen gebettelt,
> Sie hat's von der Ewigkeit angezettelt;
> Damit der ewige Meistermann
> Getrost den Einschlag werfen kann.

Bedenken und Ergebung, Zur Naturwissenschaft, 1820

*

Wir mögen die Welt kennen lernen, wie wir wollen, sie wird immer eine Tag- und eine Nachtseite behalten.

Maximen

Ich bekenne, daß mir von jeher die große und so bedeutend klingende Aufgabe: erkenne dich selbst, immer verdächtig vorkam, als eine List geheim verbündeter Priester, die den Menschen durch unerreichbare Forderungen verwirren und von der Tätigkeit gegen die Außenwelt zu einer innern falschen Beschaulichkeit verleiten wollen. Der Mensch kennt nur sich selbst, insofern der die Welt kennt, die er nur in sich und sich nur in ihr gewahr wird. Jeder neue Gegenstand, wohl beschaut, schließt ein neues Organ in uns auf.

Bedeutendes Fördernis durch ein einziges geistreiches Wort, 1823

*

Ich fühle mich mit nahen und fernen ernsten, tätigen Forschern glücklich im Einklang. Sie gestehen und behaupten: man solle ein Unerforschliches voraussetzen und zugeben, alsdann aber dem Forscher selbst keine Grenzlinie ziehen.

Muß ich mich denn nicht selbst zugeben und voraussetzen, ohne jemals zu wissen, wie es eigentlich mit mir beschaffen sei, studiere ich mich nicht immerfort, ohne mich jemals zu begreifen, mich und andere? Und doch kommt man fröhlich immer weiter und weiter!

So auch mit der Welt! Liege sie anfang- und endelos vor uns, unbegrenzt sei die Ferne, undurchdringlich die Nähe; es sei so; aber wie weit und wie tief der Menschengeist in seine und ihre Geheimnisse zu dringen vermöchte, werde nie bestimmt noch abgeschlossen.

Freundlicher Zuruf, Zur Morphologie, 1820

Bei der Betrachtung von Schillers Schädel

Wie mich geheimnisvoll die Form entzückte,
Die gottgedachte Spur, die sich erhalten!
Ein Blick, der mich an jenes Meer entrückte,
Das flutend strömt gesteigerte Gestalten.
Geheim Gefäß, Orakelsprüche spendend!
Wie bin ich wert, dich in der Hand zu halten?
Dich höchsten Schatz aus Moder fromm entwendend
Und in die freie Luft, zu freien Sinnen
Zum Sonnenlicht andächtig hin mich wendend.
Was kann der Mensch im Leben mehr gewinnen,
Als daß sich Gott-Natur ihm offenbare,
Wie sie das Feste läßt zu Geist verrinnen,
Wie sie das Geisterzeugte fest bewahre!   *1826*

Frauen

Und ach! ein Mädchen ist wahrhaftig übel dran!
Ist man ein bißchen hübsch, gleich steht man jedem an,
Da summt uns unser Kopf den ganzen Tag vom Lobe!
Und welches Mädchen hält wohl diese Feuerprobe?
Ihr könnt so ehrlich tun, man glaubt euch gern aufs Wort,
Ihr Männer! — Auf einmal führt euch der Henker fort.
Wenn's was zu naschen gibt, sind alle flugs beim
                                              Schmause;
Doch macht ein Mädchen Ernst, so ist kein Mensch
                                              zu Hause.
                              Die Mitschuldigen

                         ✳

Der Erfahrne

Geh den Weibern zart entgegen,
Du gewinnst sie auf mein Wort;
Und wer rasch ist und verwegen,
Kommt vielleicht noch besser fort.
Doch, wem wenig dran gelegen
Scheinet, ob er reizt und rührt,
Der beleidigt, der verführt.
Antworten bei einem gesellschaftlichen Fragespiel

                         ✳

Bei Mondeschein im Paradeis
Fand Jehova im Schlafe tief
Adam versunken, legte leis
Zur Seit ein Evchen, das auch entschlief.

Da lagen nun, in Erdeschranken,
Gottes zwei lieblichste Gedanken. —
Gut!!! rief er sich zum Meisterlohn;
Er ging sogar nicht gern davon.

Kein Wunder, daß es uns berückt,
Wenn Auge frisch in Auge blickt,
Als hätten wir's so weit gebracht,
Bei dem zu sein, der uns gedacht.

Und ruft er uns, wohlan, es sei!
Nur das beding ich, alle zwei.
Dich halten dieser Arme Schranken,
Liebster von allen Gottes-Gedanken.

West-östlicher Divan

Die Frauen sind silberne Schalen, in die wir goldene
Äpfel legen. Meine Idee von den Frauen ist nicht von
den Erscheinungen der Wirklichkeit abstrahiert, sondern
ist mir angeboren oder in mir entstanden. Gott weiß
wie. Meine dargestellten Frauen-Charaktere sind daher
auch alle gut weggekommen, sie sind alle besser, als sie
in der Wirklichkeit anzutreffen sind.

Zu Eckermann, 22. 10. 1828

Wenn ich ein Frauenzimmer kennen lerne, gebe ich nur
darauf acht, wo sie herrscht; denn daß sie irgendwo
herrsche, setze ich voraus... Ich finde durchgängig: die
Tätige, zum Erwerben, zum Erhalten Geschaffene, ist
Herr im Hause; die schöne, leicht und oberflächlich Gebildete, Herr in großen Cirkeln; die tiefer Gebildete
beherrscht die kleinen Kreise.

Die guten Weiber

Koketterie ist Egoismus in der Form der Schönheit. Die Weiber sind rechte Egoisten, indem nur in ihr Interesse fällt, sofern sie uns lieben oder wir ihre Liebhaber machen oder sie uns zu Liebhabern wünschen. Eine ruhige, freie, absichtslose Teilnahme und Beurteilung fällt ganz außer ihrer Fähigkeit. Sie sehen alles nicht etwa nur aus ihrem Standpunkt, sondern in persönlichem Bezug auf sich. Die Weiber bestreben sich innerlich und äußerlich anmutig, liebenswürdig zu erscheinen, zu gefallen mit einem Worte, und wenn wir dasselbe tun, so nennen sie uns eitel.   *Zu Riemer, 13. 8. 1807*

✳

Frauen sind unüberwindlich: erst verständig, daß man nicht widersprechen kann, liebevoll, daß man sich gern hingibt, gefühlvoll, daß man ihnen nicht weh tun mag, ahnungsvoll, daß man erschrickt.

Die Wahlverwandtschaften

✳

Wer die Weiber haßt, ist im Grunde galanter gegen sie, als wer sie liebt; denn jener hält sie für unüberwindlich, dieser hofft noch mit ihnen fertig zu werden.

Zu Riemer, 6. 9. 1810

✳

Wenn die Männer sich mit den Weibern schleppen, so werden sie gleichsam abgesponnen wie ein Rocken.

Maximen

Behandelt die Frauen mit Nachsicht!
Aus krummer Rippe ward sie erschaffen,
Gott konnte sie nicht ganz grade machen.
Willst du sie biegen, sie bricht;
Läßt du sie ruhig, sie wird noch krümmer;
Du guter Adam, was ist denn schlimmer?
Behandelt die Frauen mit Nachsicht:
Es ist nicht gut, daß euch eine Rippe bricht.

West-östlicher Divan

Die Verhältnisse mit Frauen allein können doch das Leben nicht ausfüllen und führen zu gar vielen Verwicklungen, Qualen und Leiden, die uns aufreiben, oder zur vollkommenen Leere.

Zu S. Boisserée, 3. 10. 1815

Den Enthusiasmus für irgendeine Frau muß man einer andern niemals anvertrauen; sie kennen sich untereinander zu gut, um sich einer solchen ausschließlichen Verehrung würdig zu halten.

Wilhelm Meisters Wanderjahre

Liebe

Alle Liebe bezieht sich auf Gegenwart; was mir in der Gegenwart angenehm ist, sich abwesend mir immer darstellt, den Wunsch des erneuerten Gegenwärtigseins immerfort erregt, bei Erfüllung dieses Wunsches von einem lebhaften Entzücken, bei Fortsetzung dieses Glücks von einer immer gleichen Anmut begleitet wird, das eigentlich lieben wir, und hieraus folgt, daß wir alles lieben können, was zu unserer Gegenwart gelangen kann; ja um das letzte auszusprechen: die Liebe des Göttlichen strebt immer danach, sich das Höchste zu vergegenwärtigen.

Ganz nahe daran steht die Neigung, aus der nicht selten Liebe sich entwickelt. Sie bezieht sich auf ein reines Verhältnis, das in allem der Liebe gleicht, nur nicht in der notwendigen Forderung einer fortgesetzten Gegenwart.

Diese Neigung kann nach vielen Seiten gerichtet sein, sich auf manche Personen und Gegenstände beziehen, und sie ist es eigentlich, die den Menschen, wenn er sie sich zu erhalten weiß, in einer schönen Folge glücklich macht. Es ist einer eignen Betrachtung wert, daß die Gewohnheit sich vollkommen an die Stelle der Liebesleidenschaft setzen kann: sie fordert nicht sowohl eine anmutige als bequeme Gegenwart; alsdann aber ist sie unüberwindlich. Es gehört viel dazu, ein gewohntes Verhältnis aufzugeben; es besteht gegen alles Widerwärtige; Mißvergnügen, Unwillen, Zorn vermögen nichts gegen dasselbe; ja, es überdauert die Verachtung, den Haß.

Maximen

Der liebt nicht, der die Fehler der Geliebten nicht für
Tugenden hält. *Maximen*

❋

Ein schönes Ja, ein schönes Nein
— Nur geschwind! — soll mir willkommen sein.

❋

Januar, Februar, März,
Du bist mein liebes Herz;
Mai, Juni, Juli, August —
Mir ist nichts mehr bewußt.

❋

Neu-Mond und geküßter Mund
Sind gleich wieder hell, und frisch und gesund.
Sprichwörtlich

❋

Große Leidenschaften sind Krankheiten ohne Hoffnung.
Was sie heilen könnte, macht sie erst recht gefährlich.

❋

Die Leidenschaft erhöht und mildert sich durchs Beken-
nen. In nichts wäre die Mittelstraße vielleicht wünschens-
werter als im Vertrauen und Verschweigen gegen die, die
wir lieben.

Man kann niemand lieben, als dessen Gegenwart man sicher ist, wenn man sein bedarf. *Maximen*

Lieben heißt leiden. Man kann sich nur gezwungen (natura) dazu entschließen, das heißt, man muß es nur, man will es nicht. In der Jugend und in der Liebe macht man die frais (= die Kosten) von allem und hält die Weiber frei in Witz, Geist und Liebenswürdigkeit.
Zu Riemer, 11. 7. 1810

Gegen große Vorzüge eines andern gibt es kein anderes Rettungsmittel als die Liebe.
Die Wahlverwandtschaften

Zu der Zeit liebt sich's am besten, wenn man noch denkt, daß man allein liebt und noch kein Mensch so geliebt hat und lieben werde. *Zu Riemer, 27. 6. 1811*

Beide Geschlechter besitzen eine Grausamkeit gegen einander, die sich vielleicht in jedem Individuum zuzeiten regt, ohne gerade ausgelassen werden zu können: bei den Männern die Grausamkeit der Wollust, bei den Weibern die des Undanks, der Unempfindlichkeit, des Quälens und andere mehr. *Zu Riemer, 7. 7. 1811*

Die Liebe ist eine Konservationsbrille, aber nur für den Gegenstand, den man damit betrachtet, nicht für uns. Sonst sieht man doch mit der Brille schärfer und deutlicher; mit dieser Brille aber verschwindet aller Mangel und Fehler, und lauter Dinge, die nicht da sind wenn man die bloßen Augen braucht, kommen erst hier zum Vorschein. *Zu Riemer, undatiert*

Die Welt durchaus ist lieblich anzuschauen,
Vorzüglich aber schön die Welt der Dichter;
Auf bunten, hellen oder silbergrauen
Gefilden, Tag und Nacht, erglänzen Lichter.
Heut ist mir alles herrlich; wenn's nur bliebe!
Ich sehe heut durch Augenglas der Liebe.
West-östlicher Divan

Umgang mit Menschen

Der Wolf im Schafspelz ist weniger gefährlich als das Schaf in irgendeinem Pelze, wo man es für mehr als für einen Schöps nimmt. *Nachlaß*

*

Toren und gescheite Leute sind gleich unschädlich. Nur die Halbnarren und Halbweisen, das sind die gefährlichsten. *Wahlverwandtschaften*

*

Ob denn die Glücklichen glauben, daß der Unglückliche wie ein Gladiator mit Anstand vor ihnen umkommen solle, wie der römische Pöbel zu fordern pflegte? *Kunst und Altertum*

*

Man beobachtet niemand als die Personen, von denen man leidet. Um unerkannt in der Welt umherzugehen, müßte man nur niemand wehe tun. *Nachlaß*

*

Man nimmt in der Welt jeden, wofür er sich gibt, aber er muß sich für etwas geben. Man erträgt die Unbequemen lieber, als man die Unbedeutenden duldet. *Wahlverwandtschaften*

Durch nichts bezeichnen die Menschen mehr ihren Charakter als durch das, was sie lächerlich finden. *ebenda*

Theorie der Unzufriedenheit
Was wir in uns nähren, das wächst; das ist ein ewiges Naturgesetz. Es gibt ein Organ des Mißwollens, der Unzufriedenheit in uns, wie es eines der Opposition, der Zweifelsucht gibt. Je mehr wir ihm Nahrung zuführen, es üben, je mächtiger wird es, bis es sich zuletzt aus einem Organ in ein krankhaftes Geschwür umwandelt und verderblich um sich frißt, alle guten Säfte aufzehrend und erstickend. Dann setzt sich Reue, Vorwurf und andere Absurdität daran, wir werden ungerecht gegen andere und gegen uns selbst. Die Freude am fremden und eignen Gelingen und Vollbringen geht verloren, aus Verzweiflung suchen wir zuletzt den Grund alles Übels außer uns, statt es in unserer Verkehrtheit zu finden. Man nehme doch jeden Menschen, jedes Ereignis in seinem eigentlichen Sinne, gehe aus sich heraus, um desto freier wieder bei sich einzukehren.

Zu Müller, 3. 2. 1823

Die Bedeutsamkeit der unschuldigsten Reden und Handlungen wächst mit den Jahren, und wen ich länger um mich sehe, den suche ich immerfort aufmerksam zu machen, welch ein Unterschied stattfinde zwischen Aufrichtigkeit, Vertrauen und Indiskretion, ja daß eigentlich kein Unterschied sei, vielmehr nur ein leiser Übergang vom Unverfänglichsten zum Schädlichsten, welcher bemerkt oder vielmehr empfunden werden müsse.

Hierauf haben wir unsern Takt zu üben, sonst laufen wir Gefahr, auf dem Wege, worauf wir uns die Gunst der Menschen erwerben, sie ganz unversehens wieder zu verscherzen. Das begreift man wohl im Laufe des Lebens von selbst, aber erst nach bezahltem teuren Lehrgelde, das man leider seinen Nachkommenden nicht ersparen kann. *Wanderjahre*

*

Man mag nicht m i t jedem leben, und so kann man auch nicht f ü r jeden leben; wer das recht einsieht, wird seine Freunde höchlich zu schätzen wissen, seine Feinde nicht hassen noch verfolgen. Vielmehr erlangt der Mensch nicht leicht einen größeren Vorteil, als wenn er die Vorzüge seiner Widersacher gewahr werden kann; dies gibt ihm ein entschiedenes Übergewicht über sie.

Zur Morphologie, 1822

*

Mit wahrhaft Gleichgesinnten kann man sich auf die Dauer nicht entzweien, man findet sich immer wieder einmal zusammen; mit eigentlich Widergesinnten versucht man umsonst, Einigkeit zu halten, es bricht immer wieder einmal auseinander. *Nachlaß*

*

Freund, wer ein Lump ist, bleibt ein Lump,
Zu Wagen, Pferd' und Fuße;
Drum glaube nie an keinen Lump
Und keines Lumpen Buße. *1790*

Gibt's ein Gespräch, wenn wir uns nicht belügen,
Mehr oder weniger versteckt?
So ein Ragout von Wahrheit und von Lügen,
Das ist die Köcherei, die mir am besten schmeckt.

Zahme Xenien

*

Es gibt eine Höflichkeit des Herzens; sie ist der Liebe
verwandt. Aus ihr entspringt die bequemste Höflichkeit
des äußeren Betragens.   *Maximen*

*

Wir lernen die Menschen nicht kennen, wenn sie zu uns
kommen; wir müssen zu ihnen gehen, um zu erfahren,
wie es mit ihnen steht.   *Maximen*

*

Suche nicht vergebne Heilung!
Unsrer Krankheit schwer Geheimnis
Schwankt zwischen Übereilung
Und zwischen Versäumnis.   *Sprichwörtlich*

*

Ja, schelte nur und fluche fort,
Es wird sich Beßres nie ergeben;
Denn Trost ist ein absurdes Wort:
Wer nicht verzweifeln kann, der muß nicht leben.

Sprichwörtlich

Erkenne dich! — Was hab ich das für Lohn?
Erkenn ich mich, so muß ich gleich davon.

Als wenn ich auf den Maskenball käme
Und gleich die Larve vom Angesicht nähme.

Andre zu kennen, das mußt du probieren,
Ihnen zu schmeicheln oder sie zu vexieren.
Sprichwörtlich

*

Fahre so fort, mit heiterem Sinn, auf zwei Dinge zu
achten: erstlich, wo die Menschen hinauswollen? und
zweitens, wie sie sich deshalb maskieren? Zeige dich nicht
allzu behäglich, damit sie dir dein Glück nicht übelnehmen.   *An den Sohn August, 14. 1. 1814*

*

Es wird einem nichts erlaubt, man muß es nur sich selber
erlauben; dann lassen sich's die andern gefallen, oder
nicht.   *Zu Riemer, 6. 8. 1811*

*

Wer tätig sein und will, hat nur das Gehörige des Augen-
blicks zu bedenken, und so kommt er ohne Weitläufigkeit
durch. Das ist der Vorteil der Frauen, wenn sie ihn ver-
stehen.   *Nachlaß*

*

Das Wunderlichste im Leben ist das Vertrauen, daß
andre uns führen werden. Haben wir's nicht, so tappen
und stolpern wir unsern eignen Weg hin; haben wir's, so

sind wir auch, eh wir's uns versehen, auf das schlechteste
geführt.   *Nachlaß*

*

Sage mir, mit wem du umgehst, so sage ich dir, wer du
bist; weiß ich, womit du dich beschäftigst, so weiß ich,
was aus dir werden kann.   *Wanderjahre*

*

Der Handelnde ist immer gewissenlos; es hat niemand
Gewissen als der Betrachtende.   *Maximen*

*

Wie kann man sich selbst kennenlernen? Durch Betrach-
ten niemals, wohl aber durch Handeln. Versuche, deine
Pflicht zu tun, und du weißt gleich, was an dir ist.
Was aber ist deine Pflicht? Die Forderung des Tages.
                                                 Maximen

Der Augenblick ist eine Art von Publikum: man muß
ihn betrügen, daß er glaube, man tue etwas; dann läßt
er uns gewähren und im Geheimen fortführen, worüber
seine Enkel erstaunen müssen.   *Maximen*

Mit jemand leben oder in jemand leben, ist ein großer Unterschied. Es gibt Menschen, in denen man leben kann, ohne mit ihnen zu leben, und umgekehrt. Beides zu verbinden ist nur der reinsten Liebe und Freundschaft möglich.   *Maximen*

In der Welt kommt's nicht darauf an, daß man die Menschen kenne, sondern daß man im Augenblick klüger sei als der vor uns Stehende. Alle Jahrmärkte und Marktschreier geben Zeugnis.   *Maximen*

*

> Den Gruß des Unbekannten ehre ja!
> Er sei dir wert als alten Freundes Gruß.
> Nach wenig Worten sagt ihr Lebewohl!
> Zum Osten du, er westwärts, Pfad an Pfad —
> Kreuzt euer Weg nach vielen Jahren drauf
> Sich unerwartet, ruft ihr freudig aus:
> Er ist es! ja, da war's! als hätte nicht
> So manche Tagesfahrt zu Land und See
> So manche Sonnenkehr sich drein gelegt.
> Nun tauschet War' um Ware, teilt Gewinn!
> Ein alt Vertrauen wirke neuen Bund —
> Der erste Gruß ist viele tausend wert,
> Drum grüße freundlich jeden der begrüßt.
>   *West-östlicher Divan*

Narren und Philister

Wanderers Gemütsruhe

Übers Niederträchtige
Niemand sich beklage;
Denn es ist das Mächtige,
Was man dir auch sage.

In dem Schlechten waltet es
Sich zu Hochgewinne,
Und mit Rechtem schaltet es
Ganz nach seinem Sinne.

Wandrer! — Gegen solche Not
Wolltest du dich sträuben?
Wirbelwind und trocknen Kot —
Laß sie drehn und stäuben.

Ach ihr vernünftigen Leute! Leidenschaft! Trunkenheit!
Wahnsinn! Ihr steht so gelassen da, ihr sittlichen Menschen, scheltet den Trunkenen, verabscheut den Unsinni-
gen, geht vorbei wie ein Priester und dankt Gott wie der
Pharisäer, daß er Euch nicht gemacht wie einen von
diesen ... Warum der Strom des Genies so selten aus-
bricht, so selten in hohen Fluten heranbraust und Eure
staunende Seele erschüttert? Liebe Freunde, da wohnen
die gelassenen Kerls auf beiden Seiten des Ufers, denen
ihre Gartenhäuschen, Tulpenbeete und Krautfelder zu
Grunde gehen würden und die daher in Zeiten mit Däm-
men und Ableiten die künftig drohende Gefahr abzu-
wehren wissen.   *Werthers Leiden*

Lasset Gelehrte sich zanken und streiten,
Streng und bedächtig die Lehrer auch sein!
Alle die Weisesten aller der Zeiten
Lächeln und winken und stimmen mit ein:
Töricht auf Beßrung der Toren zu harren!
Kinder der Klugheit, o haltet die Narren
Eben zum Narren auch, wie sich's gehört.

Cophtisches Lied

Der Philister negiert nicht nur andere Zustände, als der
seinige ist, er will auch, daß alle übrigen Menschen auf
seine Weise existieren sollen. Er geht zu Fuß und ist sein
Leben lang zu Fuß gegangen. Nun sieht er jemand in
einem Wagen fahren. Was das für eine Narrheit ist, ruft
er aus, zu fahren, sich dahinschleppen zu lassen von
Pferden! Hat der Kerl nicht Beine! Wozu sind denn die
Beine anders als zum Gehen! Wenn wir fahren sollten,
würde uns Gott keine Beine gegeben haben! — Was ist
es denn aber auch weiter! Wenn ich mich auf einen Stuhl
setze und Räder unten anbringe und Pferde vorspanne,
so kann ich fahren so gut wie jener. Das ist keine Kunst!
Man wird in philisterhaften Äußerungen immer finden,
daß der Kerl immer zugleich seinen eigenen Zustand
ausspricht, indem er den fremden negiert, und daß er
also den seinen als allgemein sollend verlangt. Es ist der
blindeste Egoismus, der von sich selbst nichts weiß, und
nicht weiß, daß der der andern ebensoviel Recht hätte,
den seinen auszuschließen, als der seinige hat, den der
andern. *Zu Riemer, 18. 8. 1807*

So viel kann ich sagen: je größer die Welt, desto garstiger wird die Farce, und ich schwöre, keine Zote und Eselei der Hanswurstiaden ist so ekelhaft wie das Wesen der Großen, Mittleren und Kleinen durcheinander. Ich habe die Götter gebeten, daß sie mir meinen Mut und Gradsein erhalten wollen bis ans Ende, und lieber mögen das Ende vorrücken als mich den letzten Teil des Ziels lausig hinkriechen lassen. Aber den Wert, den wieder dieses Abenteuer für mich, für uns alle hat, nenn ich nicht bei Namen. — Ich bete die Götter an und fühle mir doch Mut genug, ihnen ewigen Haß zu schwören, wenn sie sich gegen uns betragen wollen wie ihr Bild, die Menschen.

Beim Besuch in Berlin, 1778, Brief an Ch. v. Stein

Es ist nur, seit man den Katzen weisgemacht hat, die Löwen gehören in ihr Geschlecht, daß sich jeder ehrliche Hauskater zutraut, er könne und dürfe Löwen und Pardeln die Tatze reichen und sich brüderlich mit ihnen herumziehen, die doch ein für allemal von Gott zu einer andern Art Tier gebildet sind. *An Lavater, 1779*

Mit Narren leben wird dir gar nicht schwer,
Erhalte nur ein Tollhaus um dich her.

Sprichwörtlich

Bei unserm Theater kommt es mir oft wie bei der hiesigen Akademie vor: es ist als wenn die Welt nur für die

Groben und Impertinenten da wäre und die Ruhigen
und Vernünftigen sich nur ein Plätzchen um Gottes-
willen erbitten müßten.   *An Witzel, 11. 8. 1809*

*

Mit Narren leben wird dir gar nicht schwer,
Versammle nur ein Tollhaus um dich her,
Bedenke dann — das macht dich gleich gelind —
Daß Narrenwärter selbst auch Narren sind.
                              Zahme Xenien

*

Zum starren Brei erweitert,
Sah ich den See gar eben;
Ein Stein, hinein geschleudert,
Konnte keine Ringe geben.

Ein Wut-Meer sah ich schwellend,
Gischend zum Strand es fuhr;
Der Fels, hinab zerschellend,
Ließ eben auch keine Spur.   *Zahme Xenien*

*

Was? Ihr mißbilliget den kräftgen Sturm
Des Übermuts, verlogne Pfaffen?
Hätt' Allah mich bestimmt zum Wurm,
So hätt' er mich als Wurm geschaffen.   *ebenda*

Absurdes Volk! das treibt es wie gewisse Philosophen unter meinen Landsleuten. Die schließen sich dreißig Jahre in ihrer Kammer ein, ohne auf die Welt zu blikken. Die beschäftigen sich nur damit, die Ideen immer wieder durchzusieben, die sie aus dem eignen armseligen Hirn gezogen haben, und da finden sie wohl eine unerschöpfliche Quelle originaler, großer, brauchbarer Einfälle! Wissen Sie, was dabei herauskommt? Hirngespinste, nichts als Hirngespinste! Töricht genug war ich, mich lange über die Narreteien zu ärgern: jetzt erlaube ich mir auf meine alten Tage zum Zeitvertreib darüber zu lachen! *Zu F. Soret, 17. 2. 1832*

Untersucht man die Grade der Verrücktheit, so findet man die für die tollsten, die sich einbilden, sie hätten wirklich eine Art von Urteil über das, was sie gesehen haben. *An Marianne v. Eybenberg, 1808*

Anbete du das Feuer hundert Jahr,
Dann fall hinein: dich frißt's mit Haut und Haar.
Zahme Xenien

Viel Wunderkuren gibt's jetzunder,
Bedenkliche, gesteh ich's frei!
Natur und Kunst tun große Wunder,
Und es gibt Schelme nebenbei. *ebenda*

Jeder geht zum Theater hinaus,
Diesmal war es ein volles Haus;
Er lobt und schilt, wie er's gefühlt:
Er denkt, man habe für ihn gespielt.   *ebenda*

Im Ton des Mephistopheles

Die schönen Frauen, jung und alt,
Sind nicht gemacht, sich abzuhärmen;
Und sind einmal die edlen Helden kalt,
So kann man sich an Schluckern wärmen.

Nach den Befreiungskriegen, 1815

*

Viele Kinder, und schöne, werden gezeugt,
Weil sich auch Garstig zu Garstig neigt.
Hier schadet keineswegs das Gesicht;
Denn mit dem Gesichte zeugt man nicht.

Zahme Xenien

*

Wer mag denn gleich Vortreffliches hören?
Nur Mittelmäßige sollten lehren.   *Maximen*

*

Etymologie
(Mephistopheles spricht)

Ars, Ares wird der Kriegsgott genannt,
Ars heißt die Kunst, und A . . . ist auch bekannt.
Welch ein Geheimnis liegt in diesen Wundertönen!
Die Sprache bleibt ein reiner Himmelshauch,
Empfunden nur von stillen Erdensöhnen;
Fest liegt der Grund, bequem ist der Gebrauch,
Und wo man wohnt, da muß man sich gewöhnen.
Wer fühlend spricht, beschwätzt nur sich allein,

Wie anders, wenn der Glocke Bimbam bammelt,
Drängt alles zur Versammlung sich hinein!
Von Können kommt die Kunst, die Schönheit kommt
vom Schein;
So wird erst nach und nach die Sprache festgerammelt,
Und was ein Volk zusammen sich gestammelt,
Muß ewiges Gesetz für Herz und Seele sein.

Nachlaß

*

(Mephistopheles spricht)

So war es schon in meinen Tagen:
Ein jeder schlägt gar hoch sich an,
Und würdest du sie alle fragen:
Das Wichtigste hat Er getan.

Es lastet schwer die schwere Last,
Die selber du zu tragen hast;
Und ob ein andrer ächzt und keicht,
Für dich ist seine Bürde leicht.　　*um 1810*

*

Was Völker sterbend hinterlassen,
Das ist ein bleicher Schattenschlag:
Du siehst ihn wohl; ihn zu erfassen,
Läufst du vergeblich Tag und Nacht.

Wer immerdar nach Schatten greift,
Kann stets nur leere Luft erlangen;
Wer Schatten stets auf Schatten häuft,
Sieht endlich sich von düstrer Nacht umfangen.

Zu Luden, 1805

Glaube mir gar und ganz,
— Mädchen, laß deine Bein' in Ruh! —
Es gehört mehr zum Tanz
Als rote Schuh.   *Sprichwörtlich*

Darf man das Volk betrügen?
Ich sage: nein!
Doch willst du sie belügen,
So mach es nur nicht fein.   *um 1815*

Ihr laßt nicht nach, ihr bleibt dabei,
Begehret Rat, ich kann ihn geben;
Allein, damit ich ruhig sei,
Versprecht mir, ihm nicht nachzuleben.
                          Zur gleichen Zeit

*

Freigebiger wird betrogen,
Geizhafter ausgesogen.
Verständiger irrgeleitet,
Vernünftiger leergeweitet.
Der Harte wird umgangen,
Der Gimpel wird gefangen —
Beherrsche diese Lüge,
Betrogener, betrüge!
                    West-östlicher Divan

Glaubst du denn, von Mund zu Ohr
Sei ein redlicher Gewinst?
Überliefrung, o du Tor,
Ist auch wohl ein Hirngespinst!
Nun geht erst das Urteil an;
Dich vermag aus Glaubensketten
Der Verstand allein zu retten,
Dem du schon Verzicht getan.   *ebenda*

*

Im Auslegen seid frisch und munter!
Legt ihr's nicht aus, so legt was unter.

Zahme Xenien

*

Der Teufel! sie ist nicht gering,
Wie ich von weitem spüre;
Nun schelten sie das arme Ding,
Daß sie euch so verführe.
Erinnert euch, verfluchtes Pack,
Des paradiesischen Falles!
Hat euch die Schöne nur im Sack,
So gilt sie euch für alles.   *Zahme Xenien*

*

Maskenzug 1818. Mephistopheles tritt vor:
Wie wag ich's nur bei solcher Fackeln Schimmer!
Man sagt mir nach, ich sei ein böser Geist,
Doch glaubt es nicht! Fürwahr, ich bin nicht schlimmer
Als mancher, der sich hoch-fürtrefflich preist.

Verstellung, sagt man, sei ein großes Laster,
Doch von Verstellung leben wir;
Drum bin ich hier, ich hoffe, nicht verhaßter
Als andre jene, vor und hinter mir.

Der kommt mit langem, der mit kurzem Barte,
Und drunter liegt ein glattes Kinn,
Ein Sultan und ein Bauer gleich von Arte
Verstellen sich zu herrlichstem Gewinn,
Euch zu gefallen. So, den Kreis zu füllen,
Komm ich als böser Geist mit bestem Willen.
Denn böser Wille, Widerspenstigkeit, Verwirrung
Der besten Sache fährdet nicht die Welt,
Wenn scharfes Aug des Herrschers die Verirrung
Stets unter sich, in kräftger Leitung hält;
Und wir besonders können sicher hausen,
Wir spüren nichts, denn alles ist dadraußen.

Politisches

Ich habe gar nichts gegen die Menge;
Doch kommt sie einmal ins Gedränge,
So ruft sie um den Teufel zu bannen,
Gewiß die Schelme, die Tyrannen.

Zahme Xenien

※

Was ich mir gefallen lasse?
Zuschlagen muß die Masse,
Dann ist sie respektabel;
Urteilen gelingt ihr miserabel.

Sprichwörtlich

※

Die Engel stritten für uns Gerechte,
Zogen den kürzern in jedem Gefechte;
Da stürzte denn alles drüber und drunter,
Dem Teufel gehörte der ganze Plunder.
Nun ging es an ein Beten und Flehen!
Gott ward bewegt, herein zu sehen.
Spricht Logos, dem die Sache klar
Von Ewigkeit her gewesen war:
Sie sollten sich keineswegs genieren,
Sich auch einmal als Teufel gerieren,
Auf jede Weise den Sieg erringen
Und hierauf das Tedeum singen.
Das ließen sie sich nicht zweimal sagen,
Und siehe die Teufel waren geschlagen.
Natürlich fand man hinterdrein,
Es sei recht hübsch, ein Teufel zu sein.

um 1815

Goethe klagt, daß er zur Großfürstin von Oldenburg soll: »Sie haben nichts von mir, und ich nichts von ihnen, den Herrschaften.« Ich vergleiche die fürstlichen Personen und die vornehme Welt mit Gewässer, welches um uns herum anschwillt, ein Strom im See werden kann, worauf man schifft und segelt, sich aber wieder verlaufen kann. Man muß ihm nicht trauen, ist und bleibt Wasser. — Goethe: »Nun, zu hypochondrisch muß man sie nicht nehmen, aber so als Naturkräfte.«

»Was wäre denn aus mir geworden«, sagte er, »wenn ich nicht immer genötigt gewesen wäre, Respekt vor andern zu haben. Und diese Menschen mit ihrer Verrücktheit und Wut, alles auf das einzelne Individuum zu reduzieren, und lauter Götter der Selbständigkeit zu sein; diese wollen ein Volk bilden und den Scharen widerstehen, wenn diese einmal sich der elementarischen Handhaben des Verstandes bemächtigt haben.«

S. Boisserée, 1815

✳

Der Despotismus befördert die Autokratie eines jeden, indem er von oben bis unten hinab es einem jeden in die Schuhe schiebt. *Zu Riemer, 23. 3. 1810*

✳

Die Menschen werfen sich im Politischen wie auf dem Krankenlager von einer Seite auf die andere, weil sie glauben, dann besser zu liegen. *Zu Müller, 1825*

✳

Dienstag, 6. Dezember 1825. Um 5 Uhr zu Goethe gerufen. Tadel, daß ich immer zuviel Argumente für meine Sache brächte, nicht lediglich auf das eine, was gerade not sei, hinwirke. »Die Geschäfte müssen eben abstrakt, nicht menschlich mit Neigung oder Abneigung, Leidenschaft, Gunst behandelt werden, dann setzt man mehr und schneller durch: Lakonisch, imperativ, prägnant. Auch keine Rekriminationen, keine Vorwürfe über Vergangenes, nun doch nicht zu Änderndes. Jeder Tag bestehe für sich, wie kann man nur leben, wenn man nicht jeden Abend sich und andern ein Absolutorium erteilt? Ihr dürft mir das nicht übelnehmen. Wenn ich einmal reden soll, muß ich meine Paradoxa frei aussprechen dürfen. Ihr werdet sie ohnehin nicht mehr lange von mir hören.«   *Kanzler v. Müller*

Er sprach viel über Ironie, indiskreten Gedankenausdruck, Preßfreiheit und Zensur: Jede direkte Opposition wird zuletzt platt und grob. Die Zensur zwingt zu geistreicherem Ausdruck der Ideen durch Umwege. Nur wenn man durchaus recht hat, in wichtigeren höchst ernsthaften Fällen, spreche man sich direkt aus, entschieden, fest, derb. Geradezugehen ist meist täppisch.

Zu Müller, 14. 7. 1827

Sowie ein Dichter politisch wirken will, muß er sich einer Partei hingeben, und sowie er dieses tut, ist er als Poet verloren; er muß seinem freien Geiste, seinem unbefangenen Überblick Lebewohl sagen und dagegen die Kappe der Borniertheit und des blinden Hasses über die Ohren ziehen.

Der Dichter wird als Mensch und Bürger sein Vaterland lieben, aber das Vaterland seiner poetischen Kräfte und seines poetischen Wirkens ist das Gute, Edle und Schöne, das an keine besondere Provinz und an kein besonderes Land gebunden ist, und das ergreift und bildet, wo er es findet. Er ist darin dem Adler gleich, der mit freiem Blick über Ländern schwebt, und dem es gleichviel ist, ob der Hase, auf den er hinabschießt, in Preußen oder in Sachsen läuft.

Und was heißt denn: sein Vaterland lieben, und was heißt denn: patriotisch wirken? Wenn ein Dichter lebenslänglich bemüht war, schädliche Vorurteile zu bekämpfen, engherzige Ansichten zu beseitigen, den Geist seines Volkes aufzuklären, dessen Geschmack zu reinigen und dessen Gesinnungs- und Denkweise zu veredeln, was soll er denn da Besseres tun? und wie soll er denn da patriotischer wirken? *Zu Eckermann, März 1832*

*

Autorität: ohne sie kann der Mensch nicht existieren, und doch bringt sie ebensoviel Irrtum als Wahrheit mit sich. Sie verewigt im einzelnen, was einzeln vorübergehen sollte, lehnt ab und läßt vorübergehen, was festgehalten werden sollte, und ist hauptsächlich Ursache, daß die Menschheit nicht vom Flecke kommt.

Nach unserm Rat bleibe jeder auf dem eingeschlagenen Wege und lasse sich ja nicht durch Autorität imponieren, durch allgemeine Übereinstimmung bedrängen und durch Mode hinreißen. *Nachlaß*

*

Autorität, daß nämlich etwas schon einmal geschehen, gesagt oder entschieden worden sei, hat großen Wert; aber nur der Pedant fordert überall Autorität.

*

Altes Fundament ehrt man, darf aber das Recht nicht aufgeben, irgendwo wieder einmal von vorn zu gründen. *Wanderjahre*

Dämon

Das Dämonische ist dasjenige, was durch Verstand und Vernunft nicht aufzulösen ist. In meiner Natur liegt es nicht, aber ich bin ihm unterworfen.

Zu Eckermann, 2. 3. 1831

Urworte. Orphisch
Dämon

Wie an dem Tag, der dich der Welt verliehen,
Die Sonne stand zum Gruße der Planeten,
Bis alsobald und fort und fort gediehen
Nach dem Gesetz, wonach du angetreten.
So mußt du sein, dir kannst du nicht entfliehen,
So sagten schon Sibyllen, so Propheten;
Und keine Zeit und keine Macht zerstückelt
Geprägte Form, die lebend sich entwickelt.

Sie werden finden, daß im mittleren Leben eines Menschen häufig eine Wendung eintritt und daß, wie ihn in seiner Jugend alles begünstigte und alles ihm glückte, nun mit einem Mal alles ganz anders wird, und ein Unfall und ein Mißgeschick sich auf das andere häuft. Wissen Sie aber, wie ich es mir denke? — Der Mensch muß wieder ruiniert werden! — Jeder außerordentliche Mensch hat eine gewisse Sendung, die er zu vollführen berufen ist. Hat er sie vollbracht, so ist er auf Erden in dieser Gestalt nicht weiter vonnöten, und die Vorsehung verwendet ihn wieder zu etwas anderem. Da aber hie-

nieden alles auf natürlichem Wege geschieht, so stellen
ihm die Dämonen ein Bein nach dem andern, bis er zuletzt unterliegt. So ging es Napoleon und vielen anderen.
Mozart starb in seinem sechsunddreißigsten Jahre, Raffael
in fast gleichem Alter, Byron nur um weniges älter. Alle
aber hatten ihre Mission auf das vollkommenste erfüllt,
und es war wohl Zeit, daß sie gingen, damit auch anderen Leuten in dieser auf eine lange Dauer berechneten
Welt noch etwas zu tun übrig bliebe.

Zu Eckermann, 11. 3. 1828

*

Obgleich das Dämonische sich in allem Körperlichen und
Unkörperlichen manifestieren kann, ja bei den Tieren
sich aufs merkwürdigste ausspricht, so steht es vorzüglich mit dem Menschen im wunderbarsten Zusammenhang und bildet eine der moralischen Weltordnung wo
nicht entgegengesetzte, doch sie durchkreuzende Macht,
so daß man die eine für den Zettel, die andere für den
Einschlag könnte gelten lassen.
Für die Phänomene, welche hiedurch hervorgebracht
werden, gibt es unzählige Namen: denn alle Philoso-
phien und Religionen haben prosaisch und poetisch dieses Rätsel zu lösen und die Sache schließlich abzutun
gesucht, welches ihnen noch fernerhin unbenommen
bleibe.
Am furchtbarsten aber erscheint dieses Dämonische,
wenn es in irgendeinem Menschen überwiegend hervor-
tritt. Während meines Lebensganges habe ich mehrere
teils in der Nähe, teils in der Ferne beobachten können.
Es sind nicht immer die vorzüglichsten Menschen, weder
an Geist noch an Talenten, selten durch Herzensgüte
sich empfehlend; aber eine ungeheure Kraft geht von

ihnen aus, und sie üben eine unglaubliche Gewalt über alle Geschöpfe, ja sogar über die Elemente, und wer kann sagen, wie weit sich solche Wirkung erstrecken wird? Alle vereinten sittlichen Kräfte vermögen nichts gegen sie, vergebens, daß der hellere Teil der Menschen sie als Betrogene oder als Betrüger verdächtig machen will, die Masse wird von ihnen angezogen. Selten oder nie finden sich Gleichzeitige ihresgleichen, und sie sind durch nichts zu überwinden als durch das Universum selbst, mit dem sie den Kampf begonnen.

Dichtung und Wahrheit, 4. Teil, 20. Buch

Über die Deutschen

Glauben Sie ja nicht, daß ich gleichgültig wäre gegen die großen Ideen Freiheit, Volk, Vaterland. Nein! diese Ideen sind in uns, sie sind ein Teil unseres Wesens, und niemand vermag sie von sich zu werfen. Auch liegt mir Deutschland warm am Herzen; ich habe oft einen bitteren Schmerz empfunden bei dem Gedanken an das deutsche Volk, das so achtbar im einzelnen und so miserabel im ganzen ist. Eine Vergleichung des deutschen Volkes mit anderen Völkern erregt uns peinliche Gefühle, über welche ich auf jegliche Weise hinwegzukommen suche, und in der Wissenschaft und in der Kunst habe ich die Schwingen gefunden, durch welche man sich darüber hinwegzuheben vermag: denn Wissenschaft und Kunst gehören der Welt an, und vor ihnen verschwinden die Schranken der Nationalität.

Zu H. Luden, Dezember 1813

Die Vereinigung und Beruhigung des deutschen Reiches im politischen Sinne überlassen wir Privatleute, wie billig, den Großen, Mächtigen und Staatsweisen. Über einen moralischen und literarischen Verein aber, welcher bei uns, wo nicht für gleichgeltend, doch wenigstens für gleichschreitend geachtet werden können, sei es uns dagegen erlaubt zu denken, zu reden. Eine solche Vereinigung nun, die religiöse sogar eingeschlossen, wäre sehr leicht, aber doch nur durch ein Wunder zu bewirken, wenn es nämlich Gott gefiele, in einer Nacht den sämtlichen Gliedern deutscher Nation die Gabe zu verleihen, daß sie sich am andern Morgen nach Verdienst schätzen könnten. Da nun aber dieses nicht zu erwarten steht, so

habe ich alle Hoffnung aufgegeben und fürchte, daß sie
nach wie vor sich verkennen, mißachten, hindern, ver-
späten, verfolgen und beschädigen werden.

> Niemand muß herein rennen
> Auch mit den besten Gaben;
> Sollen's die Deutschen mit Dank erkennen,
> So wollen sie Zeit haben.   *Zahme Xenien*

> Die Deutschen sind ein gut Geschlecht!
> Ein jeder sagt: Will nur, was recht;
> Recht aber soll vorzüglich heißen,
> Was ich und meine Gevattern preisen;
> Das übrige ist ein weitläufig Ding,
> Das schätz ich lieber gleich gering.   *ebenda*

Den Deutschen ist nichts daran gelegen, zusammen zu
bleiben, aber doch, für sich zu bleiben. Jeder, sei er
auch wer er wolle, hat so ein eignes Für sich, das
er sich nicht gern möchte nehmen lassen.

Wenn ein deutscher Literator seine Nation vormals beherrschen wollte, so mußte er ihr nur glauben machen,
es sei einer da, der sie beherrschen wolle. Da waren sie
gleich so verschüchtert, daß sie sich, von wem es auch
wäre, gern beherrschen ließen.

Die Deutschen der alten Zeit freute nichts, als daß keiner dem andern gehorchen durfte.
Die Deutschen der neueren Zeit haben nichts anders für Denk- und Preßfreiheit gehalten, als daß sie sich einander öffentlich mißachten dürfen.

Die Deutschen sollten in einem Zeitraum von dreißig Jahren das Wort Gemüt nicht aussprechen, dann würde nach und nach Gemüt sich wieder erzeugen; jetzt heißt es nur Nachsicht mit Schwächen, eignen und fremden.

Gerechtigkeit: Eigenschaft und Phantom der Deutschen.

Was die Franzosen tournure nennen, ist eine zur Anmut gemilderte Anmaßung. Man sieht daraus, daß die Deutschen keine tournure haben können; ihre Anmaßung ist hart und herb, ihre Anmut mild und demütig, das eine schließt das andere aus und sind nicht zu verbinden.   *Maximen*

Deutsche gehen nicht zugrunde, so wenig wie die Juden, weil es Individuen sind.   *Zu Riemer, 15. 3. 1808*

Wenn die Deutschen anfangen, einen Gedanken oder ein
Wollen, oder wie man's nennen mag, zu wiederholen, so
können sie nicht fertig werden, sie singen immer
u n i s o n o wie die protestantische Kirche ihre Choräle.

Zu Riemer, 12. 12. 1817

*

Dieser Fehler der Deutschen, sich einander im Wege zu
stehen, darf man es anders einen Fehler nennen, diese
Eigenheit ist um so weniger abzulegen, als sie auf einem
Vorzug beruht, den die Nation besitzt und dessen sie
sich wohl ohne Übermut rühmen darf: daß nämlich vielleicht in keiner andern so viel vorzügliche Individuen
geboren werden und nebeneinander existieren. Weil nun
aber jeder bedeutende einzelne Not genug hat, bis er
sich selbst ausbildet, und jeder Jüngere die Bildungsart
von seiner Zeit nimmt, welche den Mittleren und Älte-
ren mehr oder weniger fremd bleibt; so entspringen,
da der Deutsche nichts Positives anerkennt und in
steter Verwandlung begriffen ist, ohne jedoch zum
Schmetterling zu werden, eine solche Reihe von Bildungs-
verschiedenheiten, um nicht Stufen zu sagen, daß der
gründlichste Etymolog nicht dem Ursprung unsers ba-
bylonischen Idioms, und der treueste Geschichtsschreiber
nicht dem Gange einer sich ewig widersprechenden Bildung nachkommen könnte. Ein Deutscher braucht nicht
alt zu werden, und er findet sich von Schülern verlas-
sen, es wachsen ihm keine Geistesgenossen nach; jeder,
der sich fühlt, fängt von vorn an, und wer hat nicht das
Recht, sich zu fühlen? ... Aufrichtig zu sagen, ist es
der größte Dienst, den ich glaube meinem Vaterlande
leisten zu können, wenn ich fortfahre, in meinem bio-

graphischen Versuche (= Dichtung und Wahrheit) die Umwandlungen der sittlichen, ästhetischen, philosophischen Kultur, insofern ich Zeuge davon gewesen, mit Billigkeit und Heiterkeit darzustellen, und zu zeigen, wie immer eine Folgezeit die vorhergehende zu verdrängen und aufzuheben suchte, anstatt ihr für Anregung, Mitteilung und Überlieferung zu danken.

An F. B. v. Bucholtz, 14. 2. 1814

Völker und Nationen

Und wo sich die Völker trennen,
Gegenseitig sich verachten,
Keins von beiden wird erkennen,
Daß sie nach demselben trachten.
Und das grobe Selbstempfinden
Haben Leute hart gescholten,
Die am wenigsten verwinden,
Wenn die andern was gegolten.

West-östlicher Divan

Jede Nation hat Eigentümlichkeiten, wodurch sie von den andern unterschieden wird, und diese sind es auch, wodurch die Nationen sich untereinander getrennt, sich angezogen oder abgestoßen fühlen. Die Äußerlichkeiten dieser inneren Eigentümlichkeiten kommen der andern meist auffallend widerwärtig und im leidlichsten Sinne lächerlich vor. Diese sind es auch, warum wir eine Nation immer weniger achten, als sie es verdient. Die Innerlichkeiten werden nicht gekannt noch erkannt, nicht von Fremden, sogar nicht von der Nation selbst, sondern es wirkt die innere Natur einer ganzen Nation wie die des einzelnen Menschen unbewußt; man verwundert sich zuletzt, man erstaunt über das, was zum Vorschein kommt. *Zur Weltliteratur, 1829*

Die weite Welt, so ausgedehnt sie auch sei, ist immer nur ein erweitertes Vaterland und wird, genau besehen, uns nicht mehr geben, als was der einheimische Boden auch verlieh; was der Menge zusagt, wird sich grenzenlos ausbreiten und, wie wir jetzt schon sehen, sich in allen Zonen und Gegenden empfehlen. Dies wird aber dem Ernsten und eigentlich Tüchtigen weniger gelingen; diejenigen aber, die sich dem Höheren und dem höher Fruchtbaren gewidmet haben, werden sich geschwinder und näher kennenlernen. Durchaus gibt es überall in der Welt solche Männer, denen es um das Gegründete und von da aus um den wahren Fortschritt der Menschheit zu tun ist.   *ebenda*

Mit dem Nationalhaß ist es eine eigne Sache. Auf den untersten Stufen der Kultur wirkt er immer am stärksten. Es gibt aber eine Stufe, wo er ganz verschwindet und wo man gewissermaßen über den Nationen steht, wo man Glück und Wehe seines Nachbarvolkes empfindet als wären sie dem eignen begegnet.   *Zu Soret, 1830*

Offenbar ist das Bestreben der besten Dichter und ästhetischen Schriftsteller aller Nationen schon seit geraumer Zeit auf das allgemein Menschliche gerichtet. In jedem Besondern, es sei nun historisch, mythologisch, fabelhaft, mehr oder weniger willkürlich ersonnen, wird man durch Nationalität und Persönlichkeit hin jenes Allgemeine immer mehr durchleuchten und durchscheinen sehen.

Da nun auch im praktischen Lebensgange ein gleiches obwaltet und durch alles irdisch Rohe, Wilde, Grausame, Falsche, Eigennützige, Lügenhafte sich durchschlingt und überall einige Milde zu verbreiten trachtet, so ist zwar nicht zu hoffen, daß ein allgemeiner Friede dadurch sich einleite, aber doch, daß der unvermeidliche Streit nach und nach läßlicher werde, der Krieg weniger grausam, der Sieg weniger übermütig.

Was nun in den Dichtungen aller Nationen hierauf hindeutet und hinwirkt, dies ist es, was die übrigen sich anzueignen haben. Die Besonderheiten einer jeden muß man kennen lernen, um sie ihr zu lassen, um gerade dadurch mit ihr zu verkehren; denn die Eigenheiten einer Nation sind wie ihre Sprache und ihre Münzsorten: sie erleichtern den Verkehr, ja sie machen ihn erst vollkommen möglich.

Zu Carlyles Übersetzung deutscher Erzählungen, 1828

*

Und wer franzet oder britet,
Italienert oder teutschet,
Einer will nur wie der andre,
Was die Eigenliebe heischet.

Denn es ist kein Anerkennen,
Weder vieler, noch des einen,
Wenn es nicht am Tage fördert
Wo man selbst was möchte scheinen.

Morgen habe denn das Rechte
Seine Freunde wohlgesinnet,
Wenn nur heute noch das Schlechte
Vollen Platz und Gunst gewinnet.

Wer nicht von dreitausend Jahren
Sich weiß Rechenschaft zu geben,
Bleib im Dunkeln unerfahren,
Mag von Tag zu Tage leben.

West-östlicher Divan

Geschichte

Über Geschichte kann niemand urteilen, als wer an sich selbst Geschichte erlebt hat. So geht es ganzen Nationen.

Wanderjahre

✳

Besieht man es genauer, so findet sich, daß dem Geschichtsschreiber selbst die Geschichte nicht leicht historisch wird; denn der jedesmalige Schreiber schreibt immer nur so, als wenn er damals selbst dabei gewesen wäre, nicht aber, was vormals war und damals bewegte.

ebenda

✳

Es ist mit der Geschichte wie mit der Natur, wie mit allem Profunden, es sei vergangen, gegenwärtig oder zukünftig: je tiefer man ernstlich eindringt, desto schwierigere Probleme tun sich hervor. Wer sie nicht fürchtet, sondern kühn drauflosgeht, fühlt sich, indem er weiter gedeiht, höher gebildet und behaglicher.

Nachlaß

✳

Es gibt zwei Momente der Weltgeschichte, die bald aufeinander folgen, bald gleichzeitig, teils einzeln und abgesondert, teils höchst verschränkt sich an Individuen und Völkern zeigen.

Der erste ist derjenige, in welchem sich die einzelnen nebeneinander frei ausbilden; dies ist die Epoche des

Werdens, des Friedens, des Nährens, der Künste, der Wissenschaften, der Gemütlichkeit, der Vernunft. Hier wirkt alles nach innen und strebt in den besten Zeiten zu einem glücklichen, häuslichen Auferbauen; doch löst sich dieser Zustand zuletzt in Parteisucht und Anarchie auf.

Die zweite Epoche ist die des Benutzens, des Krieges, des Verzehrens, der Technik, des Wissens, des Verstandes. Die Wirkungen sind nach außen gerichtet; im schönsten und höchsten Sinne gewährt dieser Zeitpunkt Dauer und Genuß unter gewissen Bedingungen. Leicht artet jedoch ein solcher Zustand in Selbstsucht und Tyrannei aus, wo man sich aber keineswegs den Tyrannen als eine einzelne Person zu denken nötig hat; es gibt eine Tyrannei ganzer Massen, die höchst gewaltsam und unwiderstehlich ist.   *Geschichte der Farbenlehre*

Eine Chronik schreibt nur derjenige, dem die Gegenwart wichtig ist.   *Maximen*

Kritik

Der Mensch erkennt nur das an und preist nur das, was er selber zu machen fähig ist; und da nun gewisse Leute in dem Mittleren ihre eigentliche Existenz haben, so gebrauchen sie den Pfiff, daß sie das wirklich Tadelnswürdige in der Literatur, was jedoch immer einiges Gute haben mag, durchaus schelten und ganz tief herabsetzen, damit das Mittlere, was sie anpreisen, auf einer desto größeren Höhe erscheine. *Zu Eckermann, 20. 3. 1831*

*

Mangel an Charakter der einzelnen forschenden und schreibenden Individuen ist die Quelle alles Übels unserer neuesten Literatur. Besonders in der Kritik zeigt sich dieser Mangel zum Nachteile der Welt, indem er entweder Falsches für Wahres verbreitet oder durch ein ärmliches Wahres uns um etwas Großes bringt, das uns besser wäre.

Bisher glaubte die Welt an den Heldensinn einer Lucretia, eines Mucius Scävola, und ließ sich dadurch erwärmen und begeistern. Jetzt aber kommt die historische Kritik und sagt, daß jene Personen nie gelebt haben, sondern als Fiktionen und Fabeln anzusehen sind, die der große Sinn der Römer erdichtete. Was sollen wir aber mit einer so ärmlichen Wahrheit! Und wenn die Römer groß genug waren, so etwas zu erdichten, so sollten wir wenigstens groß genug sein, daran zu glauben.

Zu Eckermann, 15. 10. 1825

Auch Bücher haben ihr Erlebtes, das ihnen nicht entzogen werden kann. *Maximen*

Fast bei allen Urteilen (in der deutschen Literatur) waltet nur der gute oder böse Wille gegen die Poeten, und die Fratze des Parteigeistes ist mir mehr zuwider als irgendeine Karikatur. *Zu Riemer, 1803*

Bücher werden jetzt nicht geschrieben, um gelesen zu werden, um sich daraus zu unterrichten und belehren, sondern um rezensiert zu werden, damit man wieder darüber reden und meinen kann, so ins unendliche fort.
Seitdem man die Bücher rezensiert, liest sie kein Mensch außer dem Rezensenten, und der auch so so. Es hat aber auch jetzt selten jemand etwas Neues, Eigenes, Selbstgedachtes und Unterrichtendes, mit Liebe und Fleiß Ausgearbeitetes zu sagen und mitzuteilen, und so ist eins des andern wert. *Zu Riemer, 7. 11. 1805*

Wenn einer, statt eine vernünftige Silhouette zu machen, das Licht so schief stellt, daß eine Fratze sich an der Wand bilden muß, so kann man nichts dagegen tun. Das ganze Schriftsteller- und Rezensentenwesen ist doch immer nur dem fabelhaften Geisterstreite gleich, wo die gebeinlosen Heroen sich zur Lust in der Mitte voneinanderhauen, und alle, sogleich wiederhergestellt, sich mit Vater Odin wieder zu Tische setzen.

An F. Jacobi, 1796

Zu einem Frankfurter Stadtsyndikus, der »Werthers Leiden« ein gefährliches Buch nannte: »Gefährlich! Was
gefährlich! Gefährlich sind solche Bestien, wie Ihr seid,
die alles ringsum mit Fäulnis anstecken, die alles Schöne
und Gute begeifern und bescheißen und dann der Welt
glauben machen, es sei alles nicht besser als ihr eigner
Kot.« *Philipp Seidel, 1774*

✳

*An Merck, mit Übersendung des »Götz von Berlichin-
gen«:*

Schicke dir hier in altem Kleid
Ein neues Kindlein wohl bereit,
Und ist' nichts weiters auf der Bahn,
Hat's immer alte Hosen an.
Wir Neuen sind ja solche Hasen,
Sehn immer nach den alten Nasen
Und hast ja auch, wie's jeder schaut,
Dir Neuen ein altes Haus gebaut.
Darum, wie's steht sodann geschrieben
Im Evangelium da drüben,
Daß sich der neu Most so erweist,
Daß er die alten Schläuch zerreißt —
Ist fast das Gegenteil so wahr:
Das Alt' die jungen Schläuch reißt gar.
Und können wir nicht tragen mehr
Krebs, Panzerhemd, Helm, Schwert und Speer
Und erliegen darunter tot
Wie Ameis unterm Schollenkot,
Schilt nicht den Schelmen, der eifrig bemüht,
Bald so, bald so sich zu wenden:

Wenn er den Teufel am Schwanze zieht,
Ihm bleibt ein Haar in den Händen.
So sehr es auch widert, so sehr es auch stinkt —
Man kann es immer nicht wissen:
Es wird vielleicht, wenn es glückt und gelingt,
Für Moschus gelten müssen.

Komm her! wir setzen uns zu Tisch;
Wen möchte solche Narrheit rühren!
Die Welt geht auseinander wie ein fauler Fisch,
Wir wollen sie nicht balsamieren.   *um 1815*

»So sei doch höflich!« — Höflich mit dem Pack?
Mit Seide näht man keinen groben Sack.

Der Teufel! sie ist nicht gering,
Wie ich von weitem spüre;
Nun schelten sie das arme Ding,
Daß sie euch so verführe.
Erinnert euch, verfluchtes Pack,
Des paradiesischen Falles!
Hat euch die Schöne nur im Sack,
So gilt sie euch für alles.

Nehmt nur mein Leben hin in Bausch
Und Bogen, wie ich's führe;
Andre verschlafen ihren Rausch,
Meiner steht auf dem Papiere.

»Sage deutlicher, wie und wenn,
Du bist uns nicht immer klar.«
Gute Leute, wißt ihr denn,
Ob ich mir's selber war?

»Von wem auf Lebens- und Wissensbahnen
Wardst du genährt und befestet?
Zu fragen sind wir beauftragt.«
Ich habe niemals danach gefragt,
Von welchen Schnepfen und Fasanen,
Kapaunen und Welschenhahnen
Ich mein Bäuchlein gemästet.

So bei Pythagoras, bei den Besten,
Saß ich unter zufriedenen Gästen;
Ihr Frohmahl hab ich unverdrossen
Niemals bestohlen, immer genossen.

Zahme Xenien

Schlußpoetik

Sage, Muse, sag dem Dichter,
Wie er denn es machen soll?
Denn der wunderlichsten Richter
Ist die liebe Welt so voll.

Immer hab ich doch den rechten,
Klaren Weg im Lied gezeigt,
Immer war es doch den schlechten,
Düstren Pfaden abgeneigt.

Aber was die Herren wollten,
Wird mir niemals ganz bekannt;
Wenn sie wüßten, was sie sollten,
Wär es auch wohl bald genannt.

»Willst du dir ein Maß bereiten,
Schaue, was den Edlen mißt,
Was ihn auch entstellt zuzeiten,
Wenn der Leichtsinn sich vergißt.

Solch ein Inhalt deiner Sänge,
Der erbauet, der gefällt,
Und im wüstesten Gedränge
Dankt's die stille, beßre Welt.

Frage nicht nach anderm Titel,
Reinem Willen bleibt sein Recht!
Und die Schurken laß dem Büttel,
Und die Narren dem Geschlecht.«   *um 1826*

✳

So ist doch immer unser Mut
Wahrhaftig wahr und bieder gut.
Und allen Perrückkeurs und Fratzen
Und allen literarischen Katzen
Und Räten, Schreibern, Maidels, Kindern
Und wissenschaftlich schönen Sündern
Sei Trotz und Hohn gesprochen hier
Und Haß und Ärger für und für.
Weisen wir so diesen Philistern,
Kritikastern und ihren Geschwistern
Wohl ein jeder aus seinem Haus
Seinen Arsch zum Fenster hinaus.   *1772*

✳

Stoßseufzer

Ach, man sparte viel,
Seltner wäre verruckt das Ziel,

Wär weniger Dumpfheit, vergebenes Sehnen,
Ich könnte viel glücklicher sein —
Gäb's nur keinen Wein
Und keine Weibertränen!   *1775*

❋

Christoph Kaufmann
von Winterthur im Gefolge Lavaters, der seine fröm-
melnd physiognomisierende Spioniererei zu adeln sich
Gottes Spürhund zu nennen beliebte.

Als Gottes Spürhund hat er frei
Manch Schelmenstück getrieben.
Die Gottesspur ist nun vorbei,
Der Hund ist ihm geblieben.   *1779*

❋

Frech und Froh

Liebesqual verschmäht sein Herz,
Sanften Jammer, süßen Schmerz;
Nur vom Tüchtgen will ich wissen,
Heißem Äugeln, derben Küssen.
Sei ein armer Hund erfrischt
Von der Lust, mit Pein gemischt!
Mädchen, gib der frischen Brust
Nichts von Pein und alle Lust.   *1788*

❋

Ultimatum

Wollt', ich lebte noch hundert Jahr
Gesund und froh, wie ich meistens war,
Merkel, Spazier und Kotzebue
Hätten auch so lange keine Ruh,
Müßten's kollegialisch treiben,
Täglich ein Pasquill auf mich schreiben.

Das würde nun fürs nächste Leben
Sechsunddreißigtausendfünfhundert geben,
Und bei der schönen runden Zahl
Rechn ich die Schalttäg nicht einmal.
Gern würd ich dieses holde Wesen
Zu Abend auf dem Nachtstuhl lesen,
Grobe Worte, gelind Papier
Nach Würdigkeit bedienen hier;
Dann legt ich ruhig, nach wie vor,
In Gottes Namen mich aufs Ohr.   *um 1805*

Ein braver Mann! ich kenn ihn ganz genau:
Erst prügelt er, dann kämmt er seine Frau.

Sprichwörtlich

Annonce

»Ein Hündchen wird gesucht,
Das weder murrt noch beißt,
Zerbrochne Gläser frißt
Und Diamanten . . . . .«   *Sprichwörtlich*

Den Originalen

Ein Quidam sagt: »Ich bin von keiner Schule;
Kein Meister lebt, mit dem ich buhle;
Auch bin ich weit davon entfernt,
Daß ich von Toten was gelernt.«
Das heißt, wenn ich ihn recht verstand:
»Ich bin ein Narr auf eigne Hand.«   *1812*

Im neuen Jahre Glück und Heil,
Auf Weh und Wunden gute Salbe!
Auf groben Klotz ein grober Keil!
Auf einen Schelmen anderthalbe!   *1814*

*

An die Teutschen und Deutschen

Verfluchtes Volk! kaum bist du frei,
So brichst du dich in dir selbst entzwei.
War nicht der Not, des Glücks genug?
Deutsch oder teutsch, du wirst nicht klug. *1814*

*

Seit einigen Tagen
Machst du mir ein bös Gesicht.
Du denkst wohl, ich soll fragen,
Welche Mücke dich sticht.   *1814*

*

Gibt's ein Gespräch, wenn wir uns nicht betrügen,
Mehr oder weniger versteckt?
So ein Ragout von Wahrheit und von Lügen,
Das ist die Köcherei, die mir am besten schmeckt.
Zahme Xenien

*

Hat Welscher-Hahn an seinem Kropf,
Storch an dem Langhals Freude;
Der Kessel schilt den Ofentopf,
Schwarz sind sie alle beide.   *Zahme Xenien*

Zwiesprache mit dem Leser

Der Autor

Was wär ich
Ohne dich,
Freund Publikum!
All mein Empfinden Selbstgespräch,
All meine Freude stumm.

Die größte Achtung, die ein Autor für sein Publikum
haben kann, ist, daß er niemals bringt, was man erwar-
tet, sondern was er selbst auf der jedesmaligen Stufe
eigener und fremder Bildung für recht und nützlich hält.

Kunst und Alterthum

Wer einem Autor Dunkelheit vorwerfen will, sollte erst
sein eigenes Inneres beschauen, ob es denn da auch recht
hell ist: in der Dämmerung wird eine sehr deutliche
Schrift unlesbar. *Nachlaß*

Das Publikum will wie ein Frauenzimmer behandelt sein:
man soll ihnen durchaus nichts sagen, als was sie hören
möchten. *Nachlaß*

✳

Der mittelmäßigste Roman ist immer noch besser als die
mittelmäßigen Leser, ja, der schlechteste partizipiert
etwas von der Vortrefflichkeit des ganzen Genres.

Nachlaß

An Lavater, 24. 7. 1780:

Bei Gelegenheit von Wielands ›Oberon‹ brauchst Du das
Wort Talent, als wenn es ein Gegensatz von Genie wäre,
wo nicht gar, doch wenigstens etwas sehr Subordiniertes.
Wir sollten aber bedenken, daß das eigentliche Talent
nichts sein kann als die Sprache des Genies. Ich will nicht
schikanieren, denn ich weiß wohl, was Du im Durch-
schnitt damit sagen willst, und zupfe Dich nur beim
Ärmel. Denn wir sind oft gar zu freigebig mit allgemeinen Worten und schneiden, wenn wir ein Buch gelesen
haben, das uns von Seite zu Seite Freude gemacht und
aller Ehren wert vorgekommen ist, endlich gern mit der
Schere so grade durch wie durch einen weißen Bogen
Papier. Denn wenn ich ein solches Werk auch bloß als
ein Schnitzbildchen ansehe, so wird doch der feinsten
Schere unmöglich, alle kleinen Formen, Züge und Linien,
worin der Wert liegt, herauszusondern. Es ist nachher
noch eins, was man nicht leicht an so einem Werke
schätzt, weil es so selten ist: daß nämlich der Autor
nichts hat machen wollen und gemacht hat, als was eben
da steht. Für das Gefühl, die Kunst und Feinheit, so vieles wegzulassen, gebührt ihm freilich der größte Dank,
den ihm aber auch nur der Künstler und Mitgenosse gibt.
Was Deine dickhirnschaligen Wissenschaftsgenossen in
Zürich betrifft und was sie von Menschen, die unter
einem andern Himmel geboren sind, reden, bitt ich Dich,
ja nicht zu achten. Die größten Menschen, die ich gekannt habe, und die Himmel und Erde vor ihrem Blick
frei hatten, waren demütig und wußten, was sie stufen-
weis zu schätzen hatten. Solches Kandidaten- und Klo-
stergesindel ziert allein der Hochmut. Man lasse sie in
der Schellenkappe ihres Eigendünkels sich ein wechsel-
seitiges Konzert vorrasseln.

Das Publikum hat nur den dunkelsten Begriff vom Schriftsteller. Man hört nur uralte Reminiszenzen; von seinem Gange und Fortschritte nehmen die wenigsten Notiz. Doch muß ich billig sein und sagen, daß ich einige gefunden habe, die hierin eine merkwürdige Ausnahme machen. *1795*

＊

Die Deutschen haben die eigne Art, daß sie nichts annehmen können, wie man's ihnen gibt. Reicht man ihnen den Stiel des Messers zu, so finden sie ihn nicht scharf; bietet man ihnen die Spitze, so klagen sie über Verletzung. Sie haben so unendlich viel gelesen, und für neue Formen fehlt ihnen die Empfänglichkeit. Erst wenn sie sich mit einer Sache befreunden, dann sind sie einsichtig, gut und wahrhaft liebenswürdig. Als Autor habe ich mich daher jederzeit isoliert gefunden, weil nur mein Vergangenes wirksam war und ich zu meinem Gegenwärtigen keine Teilnehmer finden konnte. *1813*

＊

Der böse Wille, der den Ruf eines bedeutenden Mannes gern vernichten würde, bringt sehr oft das Entgegengesetzte hervor. Er macht die Welt aufmerksam auf eine Persönlichkeit, und da die Welt, wo nicht gerecht, doch wenigstens gleichgültig ist, so läßt sie sich's gefallen, nach und nach die guten Eigenschaften desjenigen gewahr zu werden, den man ihr auf das schlimmste zu zeigen Lust hatte. Ja, es ist sogar im Publikum ein Geist des Widerspruchs, der sich dem Tadel wie dem Lobe entgegensetzt, und im ganzen braucht man nur nach Möglichkeit zu sein, um gelegentlich zu seinem Vorteil zu erscheinen; wobei es dann hauptsächlich darauf ankommt, daß die Augenblicke nicht allzu kritisch werden und der böse Wille nicht die Oberhand habe, zur Zeit wo er vernichten kann. *Zu Riemer, 28. 8. 1817*

Man war im Grunde nie mit mir zufrieden und wollte mich immer anders als es Gott gefallen hatte, mich zu machen. Auch war man selten mit dem zufrieden, was ich hervorbrachte. Wenn ich mich Jahr und Tag mit ganzer Seele abgemüht hatte, der Welt mit einem neuen Werke etwas zuliebe zu tun, so verlangte sie, daß ich mich noch obendrein bei ihr bedanken sollte, daß sie es nur erträglich fand. Lobte man mich, so sollte ich das nicht in freudigem Selbstgefühl als schuldigen Tribut hinnehmen, sondern man erwartete von mir irgendeine ablehnende, bescheidene Phrase, worin ich demütig den völligen Unwert meiner Person und meines Werkes an den Tag lege. Das aber widerstrebte meiner Natur, und ich hätte müssen ein elender Lump sein, wenn ich so hätte lügen und heucheln wollen. Da ich nun aber stark genug war, mich in ganzer Wahrheit so zu zeigen, wie ich fühlte, so galt ich für stolz und gelte noch so bis auf den heutigen Tag.   *Zu Eckermann, 4. 1. 1824*

✳

Die Deutschen sind übrigens wunderliche Leute! Sie machen sich durch ihre tiefen Gedanken und Ideen, die sie überall suchen und hineinlegen, das Leben schwerer als billig. Ei, so habt doch endlich einmal die Courage, euch den Eindrücken hinzugeben, euch ergötzen zu lassen, euch rühren zu lassen, euch erheben zu lassen, ja auch belehren und zu etwas Großem entflammen und ermutigen zu lassen; aber denkt nur nicht immer, es wäre alles eitel, wenn es nicht irgend abstrakter Gedanke und Idee wäre!   *Zu Eckermann, 6. 5. 1827*

Goethes gewaltiges Werk enthält eine überreiche Menge
von Weisheiten, Gedanken und Betrachtungen. In kurzen
Sprüchen oder längeren Sentenzen, in zusammenfassen-
den Folgerungen, in Prosa und im knappen, schlagenden
Vers hat er sich geäußert. Er selber hat schon mit zuneh-
mendem Alter an verschiedenen Stellen kleinere Zu-
sammenstellungen von »Maximen und Reflexionen«
vorgenommen, in seinen *Wahlverwandtschaften,* der
Farbenlehre, den *Wanderjahren* und vor allem in seinen
Hauszeitschriften zur Kunst und Naturbetrachtung. Aus
seinem Nachlaß brachten dann seine getreuen Mitarbeiter
Eckermann und Riemer weiteres, und die späteren Bear-
beiter dieses von ihm nicht geschriebenen Buches haben
sich immer wieder um neue Sammlung, Ordnung und
Erläuterung dieses Schatzes bemüht. Vieles bedarf auch
eigentlich des Kommentars, denn Goethes Weisheiten
stehen in engem Zusammenhang mit seinem Leben und
seinen Lebenserfahrungen. Nur selten wirft er eine Reihe
von weltkundigen und fein geschliffenen Aphorismen
aufs Papier, wie das die französischen Meister mit hoher
Kunst geübt hatten. Er geht immer, wie in seinen Gedichten, von der »Gelegenheit« aus, dem augenblick-
lichen Anlaß, der ihn bewegt, aufrührt und zur Aussage
zwingt. Aber darüber hinaus haben diese Äußerungen doch
auch ihr eignes Leben und ihre eigne Bedeutung. Man
kann daraus lernen, soweit sich aus den Erfahrungen
und Weisheiten anderer etwas lernen läßt. Man kann
sich ganz einfach an dem reichen Geist erfreuen, der da
die Welt betrachtet. Oft sieht er sie wie in einem
»Zauberkasten«: »Der Menschen wunderliches Weben, /
Ihr Wirren, Suchen, Stoßen und Treiben, / Schieben,

Reißen, Drängen und Reiben; / Wie kunterbunt die Wirtschaft tollert, / Der Ameishauf durcheinanderkollert...« So heißt es schon in der Jugend, in dem Hans Sachs gewidmeten Gedicht. Und auch später hat er gern auf die alten Meister der Holzschnittzeit zurückgegriffen, die Agricola, Zincgref oder Sebastian Franck und ihre derben und tüchtigen Lehren in »Eignes und Angeeignetes« umgeschaffen. Dann wiederum spricht er wie zu sich selbst, nachsinnend und aus großer Entfernung von seiner Zeit, zu künftigen Lesern einer unsichtbaren Gemeinde, die auch nur aus sehr wenigen »Verständigen« bestehen mag. Er ist ein andermal gar nicht gelassen, sondern gereizt, unmutig, ungeduldig, und schlägt auch herzhaft zu, in der Jugend wie im Alter, mit den groben Worten, die er ebenso meisterlich zu handhaben weiß wie die versöhnlichen oder mystisch-feierlichen. Dies alles zusammen ist erst der ganze Goethe, den man nicht zerlegen und teilen kann, geschweige denn auf eine der beliebten Formeln bringen. Aus Spruch und Widerspruch ist sein Wesen zusammengesetzt, nach seiner eignen Lebenslehre von den polaren Gegensätzen, und zu jener Einheit gestaltet, die wir Goethe nennen.

Unsere kleine Auswahl kann nur einen Einblick geben und zur weiteren Lektüre auffordern. Wir haben uns bemüht, das allzu Bekannte und oft aus dem höchst wichtigen Zusammenhang Gerissene zu vermeiden, ohne ängstlich nach Entlegenem zu suchen, das oft vom großen Meister mit Bedacht abgelegt wurde in einer seiner Mappen. Wir haben auch jene Äußerungen zum großen Teil beiseite gelassen, die ohne gründliche Erläuterung unverständlich oder irreführend bleiben. Die Kommentiersucht unserer Zeit hat das Bild eines Goethe entstehen lassen, der unweigerlich und überall, auch in seinen prägnantesten oder schönsten Versen, der deutenden

Nachhilfe bedürfen soll. Nichts ist verkehrter und Goethes Wesen ferner, wie er selber unmißverständlich und sogar zornig gesagt hat. Man solle sich freuen am »reichen und bunten Leben«, so meinte er, als begonnen wurde zu rätseln. In diesem Sinne legen wir unsere kleine Sammlung seiner Weisheiten im ernsten und heiteren Ton dem unbefangenen und aufnahmewilligen Leser vor.

Richard Friedenthal

Richard Friedenthal stellte diesen Almanach für die
Freunde und Mitglieder des Deutschen Bücherbundes
zusammen.
Die Gesamtherstellung besorgte Carl Ueberreuter, Wien.
Die vorliegende Ausgabe
ist im Buchhandel nicht erhältlich.